JN071406

韓国よ、咲き誇れ！

「反日病」につける薬

医療法人社団八千代会 理事長
姜 仁秀
＋
比較文化学者
金 文学

南々社

韓国よ、咲き誇れ！

――「反日病」につける薬

まえがき

私と金文学さんとの出会いは、20年前の金さんの著作を通してでした。気鋭の若手学者の正鵠を得た、叡知の閃光が走るような斬新な言説に、すっかり感心したものです。以来、二人は忘年の知己として付き合ってきました。

いまや金さんは「東アジアの鬼才」と呼ばれ、東アジア諸国を舞台に、文化領域で猛活躍をされております。そして、その比較文化論、文明批評、歴史真実研究や言論活動は、幅広い読者の支持を博しています。

このように身近に、金さんのような比較文化の碩学と親交を深めることができるのは、私にとって実に幸運です。そこで、私はかねてから金文学という「鬼才」と対談をし、本として公刊しようと願っておりました。今回、ようやく念願がかなって嬉しく思います。

さて、日本と韓国、最も近い隣国同士は、昨今「最悪」の関係になっています。在日の韓国人として、深い悲しみとある種の憤りをも感じざるを得ません。正直申し上げて、日韓関係のこじれは、ほとんど過去の歴史問題をめぐって、韓国側の度をすぎた執念から誘発されていると思います。そのすさまじい他者を責める国民性や政治様式は、むしろ「自己反省」すべきことが多いのではないでしょうか？

　この対談で、私と金さんは、主に祖国・韓国の社会、文化、政治と民族性諸分野に存在する欠点を分析し、批判を加えました。そして、比較文化論的視点から、日韓社会の比較をしながら、韓国人とはどんな民族か、どんな社会的病弊をもっているのかを、自己反省的に点検しました。

　また、ホットな日韓関係、植民地時代など過去の問題、親日・反日の力学などについて、在日や在外同胞のサイドで自己批判的な解剖を行いました。

　昨年（２０１９年）、元ソウル大学教授、李榮薫（イヨンフン）氏の『反日種族主義』（文藝春秋）を読んで、私は目からウロコが落ちるほど衝撃を受けました。わが民族の内部に存在する、コロナよりも恐ろしい精神的・文化的疫病を根治するのが急務だと強く認識させられたのです。ことに言及したいのは、この対談は、決して単純な感情的批判ではなく、韓国やわが同胞の弱点、病弊を冷静に見つめた上で、いかに克服するかについても、具体的な対策や提案をしていることです。

なお、対談の最後には、わが「在日」が抱いている深刻なアイデンティティの問題解決にも、在日として斬新な見解と提言を示しています。また、「東アジア知性共和国」という新理念を通して東アジア共同発展の土台づくりについても言及しました。なお、金さん手書きの挿絵が入り、十分愉しみながら読んでいただけたらありがたいです。

私も金文学さんも、日韓を含めた東アジアの平和と共同発展を心より願う者です。人類を、アジアを愛する者として、私たちはこの対談を行いました。皆さま、人間の病気を治せるのは良薬しかありません。この本が、日韓病、あるいは「反日病」につける薬になると確信しています。

皆さまのご愛読とご鞭撻(べんたつ)を、心より望んでおります！

2020年10月吉日

姜 仁秀

もくじ

韓国よ、咲き誇れ！――「反日病」につける薬

第一章

「在日」だから言える

── 韓国に愛をこめて

在日、あるいはコスモポリタンの視点

姜　ずっと前から金文学(きんぶんがく)さんとの対談を企画してきましたが、この度ようやく実現できて非常に嬉しく思います。良い対談になると期待しています。

金　そうですね。いまや在日随一の経済界のリーダー、そして広島在日の精神的リーダーである姜仁秀(カンインス)理事長と対談ができるのを心待ちにしていたので、私にとっても誠に光栄なことであり、心より感謝申し上げます。

姜理事長は、在日としては不可能だと言われた医療事業と、老人ホームをはじめとする介護事業で大成功をおさめ、日韓中文化経済交流にも多大な貢献をされています。しかも、民族愛と国際的視野を兼ね備えた経済人

としてのヒューマニズム、国際的貢献は誰も真似できないと思います。だから、在日経済界の大物であるマルハン（＊1）の韓昌祐(ハンチャンウ)会長は、「以前は広島といえば原爆だったが、今は広島といえば原爆から姜仁秀氏に代わった」と賛辞を贈りました。

また、姜理事長は半端ない読書家で、知識人や大学教授に劣らない見識と思想の持ち主であると、私は十数年来のお付き合いで知りました。ご高見を伺いたく存じます。

姜　金文学さんは私より18歳年下ですけれども、「東アジアの鬼才」と呼ばれるほど博識で、個性の強い独立的知識人ですね。中国の旧満州出身で、留学で来日し、独自に日中韓比較文化論領域を切り拓いて、その鋭い文明批評は東アジア圏全般で幅広い支持を得ています。

金さんのようなすばらしい学者が広島にいるのは大変幸せなことで、金さんの本を読んで、本当にいつも深い知見と思想に感心しています。亡くなった家内がそもそも金さんのファンだったので、よく金さんの本を読みながらゲラゲラ笑ってました。面白いと（笑）。

＊1　マルハン
株式会社マルハン。京都市と東京都に本社を持つ、総合エンターテイメント企業。パチンコホールを中心にボウリング場、アミューズメント施設、映画館などを運営。韓昌祐が、1957年に創業、1972年に設立（個人経営から会社組織に変更）。

金　ありがとうございます（笑）！

「在日」という意味合いは、いまや重層的、より多様になったわけですが、理事長は山口出身の在日二世、私は在中三世で、一種のニューカマー的存在といえます。というのは、韓国人や日本人には欠けている一種のコスモポリタン、あるいは国際的視点をもつのが長所ではないかと思うのです。

姜　そうそう！　ニューカマーであれオカマであれ、確かに韓国人や日本人には欠如した客観的視点といえますね。

やはり、本国の韓国人と私は、物の見方や思考様式が違うことをいつも実感します。多様性、複眼的思考がわれわれ「在日」の視点の良い所ではないかと思います。

金　なるほど、おっしゃる通りです。このような多様な視点、思考が、コスモポリタン的視覚で韓民族を見つめるために大変重要となるのです。

姜　コスモポリタン的、国際的視野で、祖国である韓国、韓国人、そして日韓関係を含めて、多方面の話題で会話を展開したいですね。

金　はい、同感です。これらの話題を念頭におきながら、対談を準備してきました。

姜　金さんの本領だから、本音でいきましょう（笑）。

東アジアと共に生きる

金　かつて新渡戸稲造（にとべいなぞう）は、「我、太平洋の架け橋にならん」と言いました。それは、一種の「世界人」としての使命感を語ったのだと思います。

姜理事長は、広島にいながら東アジア人としての使命感を感じさせる人物です。学者として私が最も感心したのは、理事長が広島市立大学大学院の平和学研究科の韓国人・中国

人留学生向けに「姜仁秀奨学金」を設立し、毎月20万円を支給されていることですね。留学生にとっては、大変な恩恵だと思います。

地元広島や日本、韓国だけでなく、中国でも人道的、経済的貢献をされていますね。理事長が自ら創立した「NPO法人広島国際交流センター」「NPO法人東アジア児童基金会」などを通して、国際シンポジウムや講演会など、さまざまな国際的イベントを展開されており、実にご本人の骨太な国際社会友好の理念と「東アジア人」としての生き方が見られます。

私も何回か講師やコメンテーターとして理事長にお招きいただきましたが、現場で理事長の「東アジア人」ぶりを実感したものです。

姜　私は山口から広島に出てきて、全く何もない状況の中で一生懸命努力をして今の地位を築きましたが、「在日」というハンディキャップから世界を見る視点が変わり、弱者あるいは「他者」と対等に生きる人生観や価値観が生まれました。

金さんは中国生まれのコリアン同胞ですが、実際、東アジアに散らばっているコリアン系マイノリティの役割は決して無視できないですね。

日韓交流においても、実際「在日」がその架け橋として果たしてきた役割は少なくありません。ですから、私は「在日」が国と国、民族と民族、他者と他者を仲介する国際的ネットワークの一部として役割を果たすことを熱望していたのです。

そして、まず自分自身から一種の「東アジア人」といった他者、他国をつなぐ人間になることを決意したわけですね。この意味では、自ら「東アジア人」「世界を自分の故郷とする」金さんと全く同様だと思います。

金　知識人であれば分かるのですが、経済人として、このようなスケールの大きい「東アジア人」として生きる精神は極めて貴重だと思います。日本の「在日」、あるいは広島の「在日」では、私はいまだに会ったことがないです。

姜　「在日」といえば、本来ならば複眼的思考やコスモポリタン的視野をもってもおかしくないはずなのに、広島の「在日」、とりわけ「民団」（＊2）の人々には、それが欠落しています。読書もしないし、思考を停止して、一種の固陋（ころう）な塊、流れない水溜りのような様相を呈しています。非常に残念ですね。

金　かつて台湾の文化的巨匠、作家の柏楊（ボーヤン）氏は『醜い中国人』（＊3）の中

＊2　民団
在日本大韓民国民団（韓国民団）の略。1946年に「在日本朝鮮居留民団」として創立された。日本国内に300を超える拠点があり、在日韓国人の法的地位向上、日韓国人の相互親睦、韓国文化の紹介、平和統一の実現などを目指し、多くの運動・事業を展開している。1948年に韓国政府から公認団体として認定された。

＊3
柏楊『醜い中国人――なぜ、アメリカ人・日本人に学ばないのか』張良澤・宗像隆幸（訳）、光文社、1988年

で、中国の伝統文化を「醤缸(しょうこう)文化」と命名し、一種の〝漬物甕(つけものがめ)〟としました。広くて、底なし沼のような悪臭を放つ漬物甕と指摘したわけですが、似てますね。

姜　そうです！

私は、そのような固陋な〝漬物甕〟から脱出することを望んでいます。「在日」のリーダーたる民団組織が、このような腐敗した水溜りや漬物甕になっては、自分の使命を果たせません。

少しでも早くこの現状を変えてほしいばかりですね。もっと成熟した、知的教養と国際的視野を備えた「民団」になることが急務ではないかと思います。こう言うと、私はまた罵倒されるかもしれませんが、在日のために、あえて苦言を呈するのです。

在日だからこそ言える

金　やはり、姜理事長は民族愛と国際的ヒューマニズムを兼有したリーダーですから、このような苦言を呈することができるのでしょう。

姜　（笑）。金さんも私も、自民族や自国に対する批判、反骨精神が強いですから。私は幼いころから、言いたいことをはっきり言う性格でした。安芸高田市で八千代病院を立ち上げた当初、医者でもないよそ者の私に、近隣の病院からは誹謗中傷（ひぼうちゅうしょう）のビラをばら撒（ま）かれたこともあります。

　苦戦の末、すべての書類が揃い県庁へ病院開設の許認可の申請に行ったときでした。私一人を四、五人の職員が取り囲んで、「この許可は下りません」と言ったのです。理由を聞いても、正面から答えなくて、ただ「下りません」の一点張りでした。

　それで、私は「分かった！　ではその理由をきちんと文書にして出してくれないか！」と、でっかい声を張り上げながら机を叩きました。結局、翌日許認可がおりたのです（笑）。

金　（笑）。さすが、韓国人のずばり物申す性格ですね！　「在日」ばかりでなく、世界中の韓民族は、おそらくこのようなパッチギ（頭突き）精神で成功すると思われますね。

姜　確かに、私は小学校四、五年生の頃、背の高い上級生に喧嘩で勝っため、夜になるとこっそり家を抜け出して、電信柱に黙々と頭をぶつけて鍛えました（笑）。

金　なるほど（笑）。勇往邁進の精神力は、韓民族の一大特徴かもしれません。「在日」だからこそ、本国である韓国に物言える立場にいると思いますが、私の見たところ、「在日」は本国とのつながり、依存あるいは一種の「癒着」を形成しているようにもみえます。本当に愛を込めた苦言、批判、アドバイスなどはあまりしないという感じですが、いかがでしょうか？

姜　同感です。確かに「在日」は在外同胞として、先ほども言及したように、複眼的思考や国際的視点で祖国を真心込めて批判・指摘していいのにもかかわらず、あえて避ける傾向がありますね。

だから、この対談で私たちは韓国の欠点をもっと言うべきでしょう。医者の患者に対する愛情は、「健康だ」と嘘言を言うのではなく、患部や病気を診断して、メスを入れることです。これが二人の対談のねらいでもあります。

日韓を含めた東アジアの平和と共同発展を願って

第二章

韓国人はどんな民族なのか

―― 韓国国民性論の系譜

韓国人論が好きな韓国人

金　韓国人の本当の姿を検証し、韓国社会を解剖するためには、まず韓国人、韓国文化を振り返る必要があるのではないかと思います。

姜　なるほど。だからこの場を借りて、比較文化学者の金さんと韓国人と文化について論じるのは、とても楽しいことです。

大体韓国人は、韓国人論が好きな民族です。もちろん日本人ほどではないですが、確かに韓国人論の本はよく売れるそうです。以前、金さんの『韓国民に告ぐ！』（＊1）の韓国語版もベストセラーになりましたね。

金　はい。私は誰なのか？　われわれ韓国人は一体何者なのか？　こんな

＊1　金文学・金明学『韓国民に告ぐ！』祥伝社、1999年

疑問は普通生まれないですが、他者、他民族と出会った際、初めて意識するものです。

姜　日本人論が異民族との出会い、異文化との出会いの中で生まれたのと同じく、韓国人論もやはり他者との出会いで形成されたのは明らかです。

金　近代韓国人論は、やはり日本近代化と遭遇した中で生まれたわけです。開化期以後、韓国の知識人は西洋文明との衝突、社会変動

の過程の中で、韓国社会の方向を提示するため、韓国文化を分析し、究明しようと努力してきましたね。

姜　ところが私が見たところ、日本人が日本人論を好むほど、韓国人は韓国人論を好むのではないということです。金さんはどう思います？

金　同感です。単純なデータですが、いままで日本人論は数千種類に至っていますが、韓国人論は十分の一にも及ばないと言われています。それに、日本にはその系譜、集成類の著書も多いですが韓国には貧弱です。

姜　南博（みなみひろし）さんの『日本人論──明治から今日まで』（＊2）や『外国人による日本論の名著』（＊3）などは面白いですね。

金　南博さんの本まで読まれましたか？　理事長は大変な読書家ですね。日本では、「外国人が日本人論を書けば売れる」と言われるほどです。

「ヌンチ」（勘）の民族

姜　日本は大陸や半島とは違って極東の島国なので、異民族との交流が少

＊2
南博『日本人論──明治から今日まで』（岩波現代文庫）、2006年

＊3
佐伯彰一・芳賀徹（編）『外国人による日本論の名著』中央公論新社、1987年

なかったため、他者を意識する、気にする民族性があるようですね。

金　そうです。一般的に、日本人は「他人の目を気にする」民族という評判があります。しかし、日本人以上に他者の目を気にする民族が韓国人だと思います。日本語にはない「ヌンチ（눈치）」（＊4）という単語をもっている韓国人です。「ヌンチの利く人は寺にいっても魚の塩辛にありつける」（ヌンチの利く人は何処へ行っても困窮することはない）ということわざがあるくらいです。韓国の碩学（せきがく）、李御寧（イ オリョン）先生も、「私たちはヌンチの発達した民族だ」と指摘しました。

姜　なるほど、韓国人もやはり日本人に遜色（そんしょく）ないほど、外国人の目を気にするのですね！　しかも、地政学的に大陸と島国の狭間になってるから（笑）。

金　そうです。韓国の歴史、ことに近現代史は、ずばり「ヌンチ」の歴史と言っても過言ではありません。事大主義（＊5）、親日、これらもやはり、「ヌンチ」の処世術から由来するものです。地政学的悲劇ともいえますね。

＊4　**ヌンチ**
韓国語。他の人の気持ちや気分、望んでいることを素早く読み取ること。また、その能力。韓国では、人間関係を維持する上で非常に重要とされる。

＊5　**事大主義**
自己保身のため、はっきりした自分の信念をもたず、勢力の強いものや風潮に迎合する態度、行動様式。孟子の故事に由来し、朝鮮史では、李朝のとった対中国外交政策をさす。

姜　近頃もアメリカへのヌンチ、日本へのヌンチ、さらに中国と北朝鮮へのヌンチを気にするから、本当に「ヌンチの民族」という言葉を実感します。

それから、外国人が書いた韓国人論、批判書も大変なベストセラーになっていますが、確かに他者を気にするヌンチから由来するものですね。

「われわれは単一民族。単一言語を使用するから」

金　韓国人による本格的韓国人論が日本に比べ量と質が劣る理由を、私は二つあると見ています。

一つは、「中華思想」（＊6）が韓国社会をあまりにも長期間支配してきたので、韓国を中国文化とは異質な、独立した文化とは見ない点が多いこと。

もう一つは、韓民族が韓国語一つだけ使用する、いわゆる単一民族だという観念が支配的だからではないかと思います。従って単純に韓民族を論

＊6　中華思想
自己の文化、政治が世界の中心であるとする、中国の自民族優越思想。古くから漢民族がもち続けてきた考え方で、周辺の異民族は蛮夷とした。

じ、研究することは容易であるという錯覚をしているのです。

姜　すると、韓国人論の容易性ということですね。

　私は韓国人の単一性については、誇らしく思う者の一人です。国内7000万と海外600万の同胞が現在まで檀（タン）君（グン）始祖（＊7）の子孫として、社会的共同体を形成して生活してきました。だから、ほとんど同一の性格、思考様式と行動原理の中で暮らしてきたのですね。

＊7　檀君始祖
韓国の伝説上の始祖神。帝釈天の子と熊の化身との間に生まれ、現在の平壌に降臨したとされる。1500年間国を治め、1908歳の長寿だったと伝えられる。

例えば、「韓国人は情が厚い。情は韓国人の価値判断だ」としても、すべての同胞たちは「その通りだ」と首肯するでしょう。

金 私は檀君始祖の同胞、という単純な意識に異意をもっているのですが、確かに「人種のるつぼ」とされるアメリカやEU、カナダや中国のような多民族の国を見れば、一言で民族性だ、国民性だと容易に論ずることはできないですね。

姜 なるほど。ロサンゼルスだけでも70種以上の言語が使用されていますよね。中国は56の民族の集合体ですし。ですから、単一民族である韓国とは比較にならないほど多様です。

要するに、韓国はどこか単一化傾向が強いので、単調なのではないかと思いますが……。

金 ですから、中国のような多民族社会に対して、「中国とはこんなものだ」と容易に結論を下すのは危険です。私はいつまでたっても、中国を知っているとは言い切れないですね。なぜなら、あれほど広い国土で暮らす民族を総合的に見ないとだめですから。

姜　やはり韓国人論は、単一性ゆえに、あまりにたやすく書かれるのではないですかね。

金　おっしゃる通りです。

近代最初の韓国人論

姜　金さんは比較文化の著書である『日本人、中国人、韓国人』（＊8）の中で、三か国の国民性を比較分析しました。その中で、韓国人論の系譜について、分かりやすく整理されています。

金　開化期以後の韓国知識人の中で、韓国人、韓国文化の本質、性格を究明しようとする努力がずっとありましたが、主に西洋から輸入した理論と方法を使用していたのです。

姜　研究形態、類型はどんなものがありましたか？

金　いままでの研究を見れば、四つの類型があると思います。

第一に性格論、第二に原形論、第三に比較論、第四に情恨論。

＊8　金文学『日本人・中国人・韓国人──新東洋三国比較文化論』白帝社、2003年

姜　なるほど。性格論とはどんなものでしょうか？

金　性格論とは、社会心理学的分析方法で、韓国人の性格気質を究明する方法を言います。1922年に李光洙（イグァンス）（＊9）が書いた『民族改造論』（＊10）がこの分野の最初の研究成果です。

姜　李光洙は、日本統治からの解放後、「親日派」と罵倒されましたね。

金　そうです。彼は不運の天才で、『民族改造論』は韓国民族の性格を論じた最初の名著といえます。

姜　なるほど。彼は崔南善（チェナムソン）（＊11）、洪命熹（ホンミョンヒ）（＊12）とともに、朝鮮の「三

＊9　李光洙
1892〜1950年？。韓国の作家、思想家。1905年、留学生として渡日。明治学院、早稲田大学に学びながら、小説を執筆。1919年、朝鮮人留学生による「二・八独立宣言」の起草に加わり、上海に亡命、大韓民国上海臨時政府に参加した。その後、東亜日報に就職し、編集長を務める。第二次世界大戦下での対日協力姿勢から、朝鮮解放後は、反民族行為処罰法により裁判にかけられるが、不起訴となる。1950年、朝鮮戦争中に北朝鮮に連行され、病死したとされる。

大天才」と呼ばれる人物でした。しかし、後半生はあまりにも不幸でした。北朝鮮で病死したそうですね。

金　はい。李光洙の悲劇は、実は韓民族自身の悲劇でもありました。

彼はフランスの民族心理学者、ギュスターブ・ル・ボン博士の理論を導入して、朝鮮民族を衰退へと導いた原因は、「坦坦ではない環境の中での民族性自体の劣悪にあった」（＊13）と指摘しています。

姜　だから、生き残るために、民族性の改造を訴えたわけですね。

李光洙が批判した朝鮮民族の欠点とは

金　李光洙は、近代朝鮮の最高の知性として、極めて冷静に民族の弱点を分析、指摘しました。彼はこう述べています。

「朝鮮民族の根本性格は何でしょうか。漢文式観念で表現すると、仁、義、礼、勇であります。これを現代用語で表現すれば寛大、博愛、礼儀、廉潔、自尊、武勇、快活と言えます」（＊14）

＊10　**『民族改造論』**
李光洙が1922年、韓国語の総合雑誌『開闢』に発表した論説。朝鮮民族の独立を前提として、朝鮮人の精神的な改造を力説した。しかし、朝鮮民族の短所を強調しているとして、物議をかもした。

＊11　**崔南善**
1890〜1957年。韓国の詩人、ジャーナリスト、歴史家。裕福な家庭に育ち、幼少の頃から学業優秀であった。出版社「新文館」を設立し、1908年、月刊『少年』を刊行。新体詩を築き上げ、李光洙とともに、近代朝鮮文学に大きな影響を与えた。「三・一運動」では独立宣言を起草。しかし、1928年に朝鮮総督府の朝鮮史編修会の委員になったことなどから「親日」とみなされ、解放後は反民族行為処罰法により処罰を受けることとなった。

このような「主性」を保持した上で、李光洙は改造すべき朝鮮人の諸悪徳、欠点を次のように述べています。「空想と空論で過ごし、懶惰（らんだ）で互いに信義と忠誠心が無く、事に臨む勇気が欠け、極度に貧困であり…」（＊15）

姜　すごいことを言ってますね。さすが天才！

金　さらに、李光洙は次のように欠点を指摘します。

「虚偽、空論、懶惰、無信、利己、団結力不足、経済的衰弱、科学の不振、非社会性、詐欺性、虚勢」（＊16）

そして、そこから具体的にどう改造すべきかという行動指針を、箇条書きで提示しました。

1　嘘をつかない事。

2　空想と空論を排し、正しい思想、義務と思われることを実行する事。

3　表裏二面性を無くし、義理と信義を守るべし。

4　姑息、逡巡（しゅんじゅん）な怯懦（きょうだ）を捨て、正しい事、

＊12　洪命憙
1888～1968年。韓国の独立運動家、作家、学者。名門両班の家に嫡子として生まれ、漢文を修めるとともに、ソウルで近代学問や日本語を中心とする語学を学んだ。日本に留学し、崔南善や李光洙らとも親交を結ぶ。1910年の日韓併合時、父・洪範植が自決し、中国へ亡命。独立運動に加わり、申采浩らと交友。1919年の三・一運動に参加。後に『東亜日報』主筆、『時代日報』社長などを務める。解放後の1948年、南北連席会議に参加。北朝鮮で副首相などを務めた。小説『林巨正』の作者としても有名。

＊13～＊17
『民族改造論』」（『開闢』〈雑誌〉、1922年）

決心した事に向かって一切の困難を除いて前進すべし。

5　個人より団体を、私より公を優先し、社会に対する奉仕を命とせよ。

6　普通の常識を持ち、一つ以上の専門学術と技芸を必ず習得し、一つ以上の職業を持つべし。

7　勤倹貯蓄を尊び、生活上の経済的独立を企てよ。

8　清潔、衛生の法則に合致する生活をし、一定の運動によって健康な体格を保つこと。（＊17）

最後に、改造の根本的実行として、「務実（むじつ）」と「力行（りっこう）」を強調しました。

姜　「務実」とは嘘をつかないで、誠実に言動や仕事をすることですね。また、「力行」とは、正しいことを認めたらすぐ行動、実行するという意味でしょう。

金　はい、そうです。

姜　李光洙が１００年前に指摘した韓民族の性格の欠点は、いま見ても肯（うなず）くところが多いです。

21世紀現在の韓国人の性格的欠点も、あまり変わらないと言っても過言ではない。このような意味で、李は確かに先駆者ですね！ 日本の福沢諭吉のような凄い人物だと思います。韓国の進路を示した偉大な啓蒙家、思想家です。

もし、当時李光洙が主張した貴重な改造論を全韓国民が実行していたならば、韓国の歴史は変えられたのではないかと確信します。

大変残念なのは、なぜ韓国の精神的リーダーだった李光洙のあれほど真摯な改造案を、貶めるのに夢中で誰ひとり受け入れて深思熟慮しなかったのかということです。本当に理解に苦しみます！

金 韓国では、昔から自民族反省、批判はタブー視され、それは首を飛ばされる覚悟を要することでした。批判は嫌がられ、批判者当人も、世間全体から嫌われる存在として貶められるのが普通ですね（苦笑）。

姜 金さんもその勇敢な批判者として、同胞からさまざまな嫌がらせや罵倒を受けましたね。私も同じ経験があるから、よく分かります。

さて、李光洙以降の性格論はどんなのものが現れますか？

＊18 光復
韓国において、1945年の日本の敗戦により朝鮮が日本の統治から解放されたことを意味する。日本による統治時代を「暗黒」ととらえ、国を取り戻し、本来あるべき状態に戻ることに由来。8月15日は「光復節」として、祝日に指定されている。一方、北朝鮮では同じ出来事を金日成による「祖国解放」と呼び、同日も「解放記念日」としている。

＊19 朝鮮戦争
1950〜1953年にかけて、朝鮮民主主義人民共和国（北朝鮮）と大韓民国（韓国）の間で行われた戦争。第二次世界大戦終結後、北緯38度線で南北に分断された朝鮮半島で、1950年6月、北朝鮮が38度線を越えて韓国に侵攻。米軍を中心とする国連軍が韓国側を支援する一方

1960年代以後の性格論

金　1945年光復（＊18）し、朝鮮戦争（＊19）を経て、1964年、心理学者、尹泰林さんの『韓国人の性格』（＊20）が現れます。

　当時、尹さんは慶南大学の学長でした。姜理事長は以前、慶南大学から名誉経営学博士の学位を取得されましたね。

姜　ええ。慶南大学の学長、尹さんは偉い学者でしたね。

金　はい。尹さんは、「韓国

で、北朝鮮側には後に中国が参加し、ソ連が支援物資などを提供した。1953年7月に休戦が成立し、その時点での前線が事実上の国境として受諾された。この戦争で朝鮮半島全域が戦場となり、多くの民間人を含む被害者が出た。背景には、当時急速に表面化していた米ソ「冷戦」の対立構造があった。

＊20
尹泰林『韓国人の性格』現代教育叢書出版社、1964年

＊21　儒教
孔子を始祖とする政治道徳思想。春秋時代末期の中国で、孔子が古典にもとづいて「道」をとき、後にその教えを孟子が発展させた。東アジア各国の精神文化に、2000年以上にわたり強い影響力をもつ。五常（仁、義、礼、智、信）をもって五倫（父子、君臣、

人の意識構造の中は権威主義的傾向が強いが、これは儒教（＊21）の影響で、地方には依然として両班（ヤンバン）（＊22）意識が残留している」（『韓国人の性格』）と指摘しています。そして、韓中日の東洋人と西洋人を対照したのが刮目（かつもく）に値する点です。

姜　なるほど。尹泰林以後は何がありますか？

金　社会学者、崔在錫（チェジェソク）の『韓国人の社会的性格』（＊23）がありますが、韓国人論の中でもアカデミックな力作だといえます。

姜　李圭泰（イキュテ）の『韓国人の意識構造』（＊24）は面白かったですね。

随筆の筆致で民俗学、人類学的比較論の方法を援用して、日常に現れる韓国人の思考様式や行動原理を面白く、かつ鋭くえぐりました。

金　さすが、読書家の理事長は李圭泰の本も読まれたんですね！　コラム式に明快に記述してあり、読者を魅了します。

それから、金在恩（キムジュユン）の『韓国人の意識と行動様式』（＊25）も良い本です。

姜　どんな本ですか？

金　金在恩さんは梨花（イファ）女子大の教育心理学の教授で、文献の分析と478

夫婦、長幼、朋友）の関係を維持することを、人が守るべき道徳とする。

＊22 両班
朝鮮の高麗、李朝時代の特権的な官僚階級、身分。東班（文官）と西班（武官）に分かれた、両班体制をとっていた。儒教の浸透とともに科挙制度とも結びつき、支配階級として固定化していった。封建的な土地所有を行い、兵役・賦役の免除など、さまざまな特権をもっていた。

＊23
崔在錫『韓国人の社会的性格』伊藤亜人他（訳）、学生社、１９７７年

＊24
李圭泰『韓国人の意識構造』東洋図書出版、１９７７年

の質問項目によるアンケート調査の結果で構成する学術報告書です。韓国人の自己中心性、権威主義、利己性、無秩序意識を指摘しています。

申采浩（シンチェホ）・崔南善から由来する原形論

姜　原形論とはどんなものでしょうか？

金　民族文化が展開される初期段階で、民族文化の原形が形成し、その後不変の状態で存続したことを前提として、韓国人と文化を説明しようとしたものです。

例えば、申采浩（＊26）は古代韓国語の語源と語意を究明する論法で、檀君、花郎（ファラン）（＊27）、辰韓（しんかん）など三韓（さんかん）（＊28）の来歴と性格を分析しました。

姜　崔南善は申采浩の影響を受けたのですか？

金　はい。崔南善は申の影響で、有名な『不咸文化論』を1927年に、『檀君及其研究』を1928年に発表します。このような研究を通して、国祖檀君から民族の原形を探り、これを土台としてさらに韓国文化を「明

＊25　金在恩『韓国人の意識と行動様式　文献および調査研究』梨花女子大學校出版部、1987年

＊26　申采浩　1880～1936年。韓国の独立運動家、ジャーナリスト、歴史家。李朝の最高学府である成均館に学び、『大韓毎日申報』の主筆となる。朝鮮民族主義歴史学を提唱し、檀君始祖が紀元前2333年に開いたとされる神話上の国家を、朝鮮民族の源流とした。また、民族運動団体「新民会」に加入し、抗日、愛国啓蒙運動に力を注いだ。1910年の日韓併合の後、中国に亡命。1919年、上海の「大韓民国臨時政府」に参加するが、のちに脱退。1936年、旅順刑務所で獄死。

るい」特徴として規定しました。

姜　とすれば、原形論は最初から、日本植民史観や民族性格否定論を反対する立場で、民族文化の優秀性を強調しようとする意図が強く働いていたわけですね！

金　はい、そうです。解放後、韓国人論、韓国文化研究における原形論的、意図的研究が高い比重を占めました。しかも、民族の優秀性を強調する面では一般大衆に大きな影響を与えます。民族のアイデンティティ、ナショナリズムを呼び起こすのにはよかったかもしれませんが、過度に民族優秀性を強調すれば学問の科学性、合理性が落ちます。

姜　確かに、1980年代や90年代にも、「韓国は世界の中心になる」というスローガンとともに、ナショナリズムが過大に膨張したのは事実ですね。1988年のオリンピックも2002年の日韓ワールドカップのときも、現在も、特にナショナリズムは変わりないですね。

＊27　花郎
韓国で新羅時代に成立した、貴族の子弟からなる青年集団、またはその指導者。『三国史記』によると、その基礎は真興王（在位540〜576年）時代に定められたとされる。「男子集会所」的な制度と考えられ、歌舞や遊楽を通じて自らの精神的、肉体的鍛錬に努めた。また、対外戦においては、戦士団としての機能も兼ねていたとされる。

＊28　三韓
古代の韓国南部に存在した三つの部族国家、馬韓・辰韓・弁韓をさす。①馬韓／50余国から成り、後に百済として統一された。②辰韓／12か国から成り、後に新羅として統一された。③弁韓／12か国から成り、後に加羅と呼ばれる地域。しかし、境界などを含め諸説あり、明確には分かっていない。

比較論の興起

金　次は比較論ですが、厳密にいえば、比較文化論的視点で比較分析を通して、相手を一種の文化的鏡として自分を認識する方法だといえます。

姜　なるほど。言葉通り比較とは、韓国を他民族や国と比較対照して、相互の同質性と異質性を理解する方法で韓国人像を把握するということですね。

金　そうです。また第三者が、例えば日韓比較のように両者を比較する方法もあります。方法はいろいろありますが、比較、対照が主な方法です。

姜　在日同胞の学者で比較文化学の金両基（キムヤンキ）教授の『キムチとお新香』（＊29）、『オンドルと畳──日韓比較文化論』（＊30）等のエッセイは、韓日両国の文化を比較した興味深い本です。

金　さすが、理事長は金両基先生の本も読まれましたね。韓国の初代文化部長官、李御寧先生の『「縮み」志向の日本人』（＊31）は、韓日両国で大ベストセラーになりました。

＊29
金両基『キムチとお新香──日韓比較文化考』中央公論社、1987年

＊30
金両基『オンドルと畳──日韓比較文化論』大和書房、1990年

＊31
李御寧『「縮み」志向の日本人』（講談社学術文庫）、2007年

姜　『「縮み」志向の日本人』はさすが名作ですね。韓国との比較を所々でしながら、日本人の特徴を分析したすばらしい本です。

金　韓日比較文化論では、李御寧、金容雲（キムヨンウン）先生が元老です。

姜　金さんも、日中韓比較文化論では「東アジアの鬼才」と呼ばれるほどですね！

金　私はまだ青二才です（笑）。

姜　それから日本人知識人による日韓比較文化論もいいですね。

産経新聞の黒田勝弘さんの『韓国人の発想』（＊32）、『韓国人は誰なのか』（韓国語版、日本語版は未刊行）など、実体験に基づいて書いた比較論も大変

＊32 黒田勝弘『韓国人の発想』（徳間文庫）、1993年

面白いです。

金　黒田さんは知韓派日本人の代表的人物です。私は個人的にも黒田さんと親交があって、ソウルに行くと一緒に下町のマッチップ（美味しい店）で、私を招待してくれます。

姜　それはいいことですね。

知韓派、知日派の人が増えてくれれば、韓日関係が改善される大きなパワーになるかもしれませんね。

金　同感です！

韓国人は情で生きる

姜　さて、情恨論とは「情」で韓国人を説明するのでしょうか？

金　その通りです。生活の情緒を中心に、韓国人の本質へアプローチする方法です。すなわち、韓国人を「情の民族」として把握することですね。

姜　なるほど。情こそ韓国人の最も中心的気質ですね。感情が厚いのが、東アジア諸国の中でも最も突出しています。

金　韓国の作家、金東里（キムドンニ）が詩人、金素月（キムソウォル）の詩「山有花」を分析して、情緒の中核を「情恨」と規定しています。1960年代に李御寧、金烈圭（キムヨルギュ）など国文学者たちが情恨論を発展させて、1970年代には韓国文学を超えて、韓国文化、韓国人自身を究明する中心的理論になりました。

姜　そうですね！

　情で生き、情で泣き、情で笑うのが韓国人ですからね。金さんも三か国比較文化論で「情の韓国人、義の中国人、和の日本人」という特質を比較分析されてますが、面白いですね。ここで「情の韓国人」というのもやはり、情恨論からきたのですか？

金　それはいえます。

姜　情といえば、結局知的、理性的というよりも、感情的、情緒的、感性的要素が多いということですね。

　感情に忠実なのが、確かにわが民族です。韓国人は感情を発散することを美徳としますが、日本人は感情を抑制することを美徳とする相反する特質をもってますね。

金　おっしゃる通りです。

韓国人は無節操？

姜　21世紀に入ってもう20年にもなりますが、グローバル化とともに、その反動として国家、民族、文化的アイデンティティを探す動きが世界中で起こっています。もちろん、韓国でもそうです。韓国人は「民族」で生きる種族ですからね。

金　そうですね。しかし韓国人は自己アイデンティティを探すのはいいですが、「韓国人は何者か」「韓国とは何か」という問いかけに明確な答えはなく、そこで揺さぶられるような気がします。

姜　それは初耳ですね。これだけの韓国人論が出たのに……。

金　数や量の問題ではなく、韓国人論は、原地で足踏みをし、境界を越える突破口を見つけていないということです。そこで、私は一つの新しい視点から、重要な糸口をつかみました。すなわち、近・現代の韓国人は多重性格で、無節操で、柔軟性があるということです。

姜　それは面白い指摘だなぁ！　韓国人は確かに柔軟です。日本人よりも融通が利きますから。

金　悪くいえば、無節操ですね（笑）。李光洙もその『民族改造論』の中で、韓国人の無節操について早くも指摘しています。自分自身の利益のために右往左往する……。

姜　じゃあ、こんな例え話はど

うですか？　昔の抗日闘士の魂と、現在のソウルの売春少女とがばったり出会ったとする。抗日闘士が彼女を「おい！　こんな韓国をつくるためにわしは命を投げたのではない！　わが祖国のため、わしは貴い命さえも捧げたのだが、君はなんと恥ずかしいことをやっているのか？」と叱った。すると、少女は何と答えたか分かります？「わたしが身を売ったって、あなたとなんの関係があるの？　わたしの自由だよ！」と。

金　面白いメタファーですね！

姜　当然、抗日闘士は絶句してしまいました（笑）。

金　結局、抗日闘士と売春少女の間では、アイデンティティが見事に断絶していたということですね。

姜　そう。一方は国や民族のために命を捧げ、片や一方は自己の欲望のために身を売る。完全な別世界。

金　しかし、両者には共通性があります。「情緒」というものです。抗日闘士は、自己犠牲というエロスに情緒的に同調しましたが、売春少女は、自己欲望というエロスに情緒的に強く同調したわけです。

姜　なるほど。両者とも情緒で理性を麻痺させなければ、犠牲と売春をそれほどたやすくできないから。

金　このように、韓国人の心性の底には、昔から情緒に支配される、「情緒原理主義」というのが存在すると思います。

姜　「情緒原理主義」？　情緒に揺さぶられ、柔軟性があって、また無節操……。面白い発想です！

金　それに、これとは対照的に、韓国人の心性の中には「理念原理主義」が偏在すると思います。この二つの相反する原理がまじりながら、矛盾し、対立する多重、二重構造的韓国人を形成しているのです。

意外と硬直した韓国人

姜　二重構造ですか？

金　ええ。韓国人は日常生活では、とても情緒的で、原理原則性が弱いです。ところがいったん理念、イデオロギーになると、硬直してしまいます。

姜　それは、儒教的原理主義のせいでしょうか？

金　そうですね。そんなイデオロギーのせいで、硬直したら、なかなか妥協しません。近代化の過程で、西洋文明の吸収が遅れたのも、このイデオロギー的硬直性からです。

姜　日本の近代化が東アジアで最も早かったのは、柔軟性があったからでしょう。

金　はい。日本人は日常ではとても硬直して、融通が利かない。何かひとつ些細（ささい）なことを処理するのも、極めて柔軟性に欠けて、くそまじめでもどかしいです。しかし、イデオロギー、理念の面では、むしろ柔軟性があります。ですから、外来文化を取り入れるとき

は、硬直した理念ではなく、必要に応じて容易に受容します。

姜　なるほど。両民族は柔軟性、硬直性の二重構造をもっているが、その内部構造が相反するということですね。

韓国人は、日本人よりも日常生活では、もっと情緒的で、柔軟で、度を過ぎるほどですね。「グエンチャナヨ」（大丈夫だ）という言葉のように。だから、その生活の中で、特に遊びなどで、よく「ナンジャンパン」（やっさもっさ騒いでいる場面）になり、原初的カオスに達します。歌ったり、踊ったりして、熱狂全体が「ナンジャンパン」になるんです。

しかし、日本人には、こんな日常的「ナンジャンパン」は、なかなか見られません。日本人より、韓国人の方がはるかに情緒原理主義だと思います。

金　情緒原理主義者としての韓国人は、日本人よりも感情をたやすく表現します。日本人は、抑制する面が多いですが、韓国人は骨太な理念、思想、イデオロギーでは、日本人よりは硬直しがちです。

韓国のナショナリズムは強要の産物

金　「韓国人」といえば、まず何が浮かびあがりますか？

姜　まず「血」です。血筋、血縁、5000年以上も朝鮮半島で生きてきた韓民族というものでしょう。

金　同じ血筋という意識は、ハードの面ばかりで韓国人を考えたからです。これだけを考えたら、韓国人は一つの遺伝子、いわゆる血縁を、旧石器時代から朝鮮半島で暮らしながら、今日まで綿々として絶えることなく継承してきたという錯覚をしがちです。

姜　すると、情恨論のように、「韓民族」を格別に強調する民族主義的理念、強烈なナショナリズムは、このような錯覚から由来するか、あるいは意図的に追及しているからでしょうね。

金　国粋主義、ウルトラナショナリズム、狂信的民族主義、右翼など、「愛国」や「民族」を強要する人ほど、韓国人の血筋、韓民族的陶酔が深刻です。

姜　確かに解放後、教育における「民族」「愛国」教育が強要され、大衆を皆熱烈な民族主義者に育成しました。一つの血筋、一つの「民族」という理念を絶対化して。

金　はい。ですから、ナショナリズムは、大体上から強要されるものです。近代化の過程で日本もそうであったし、中国も同じ経験をしています。もちろん、中国と韓国では、いまでもこれを有効的国家支配の装置として活用していますね。

姜　だから、おそらく一般的議論でも国民の中でも、「韓民族」とはすでに一つの強固な定義のようなものに固定してしまって、「韓民族」に対する疑問すらないでしょう。

金　そうです。これは上から強要された、つくられた「民族神話」の弊害ですね。この神話を破壊する作業が必要だと思います。

第三章

韓国、自滅に向かうのか

── 歯がゆい国、韓国の現状

沈没する大韓民国

姜　近頃、韓国は解放後最大の国難に直面していると叫ばれていますね。それは、まるで19世紀末、世界の帝国主義列強に包囲された朝鮮半島の危機と似ているということです。当時は、下手な対応と世界的視野の欠如によって、結局は亡国の悲劇を招いてしまいました。

現在もなお韓国（朝鮮半島）の周囲は、アメリカ、日本、中国、ロシアなど強大国に包囲され、前例のない危機の時代に直面していると言っても過言ではありません。

国の「危機」について、金さんはどう思いますか？　ひょっとすると、

19世紀末に経験した民族の悲劇が再演されかねない危機の前で、どうすればよいのか深刻に反省する必要がありますね。

金　同感です！「第二の19世紀末国難説」には賛同です。

ところが、まわりの強国ばかりのせいにして、自己反省をしなかったら、それこそ最も危険ではないでしょうか。歴史を振り返れば、列強にやられたという問題意識を反省すべきです。わが民族は事があると自分のせいにするよりも、いつも他人のせいにする癖があります。

この対談中、私が常に考えている問題の一つが、わが民族には「危機意識」が本当に欠如しているということです。いまこそ、教

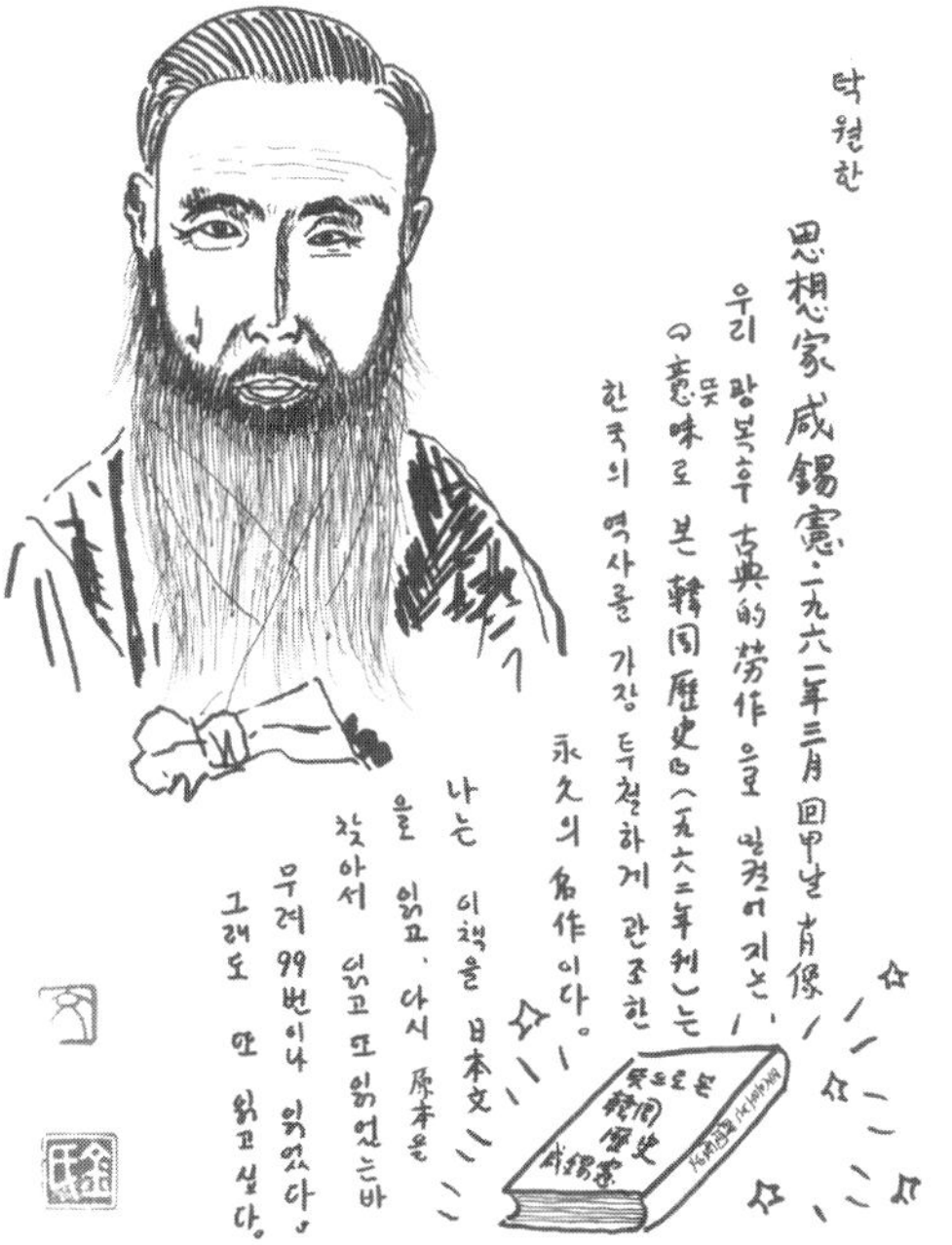

訓を摂取して、危機を克服する方法を本気で考えないといけないですね。

姜　私自身もそうですけれども、韓国人は楽観的。「天が崩れても、助けられる穴がある」ということわざがあるように、あまりにも楽観主義です。まぁ、楽天的気質は悪いわけではないですが、非理性的、非科学的になる危険性もなくはないですね。

金　私は比較文化学者だから、いつも日本や西洋との比較をするわけですが、韓国には小松左京の『日本沈没』（＊1）、ジョージ・オーウェルの『1984年』（＊2）などのような、「ディストピア（Distopia）」（＊3）的作品がないです。

というのは、文明的危機や社会的危機に関する作品は、韓国では読まれないです。反対に、金辰明（キムジンミョン）の『ムクゲノ花ガ咲キマシタ』（＊4）のような、敵を攻撃して勝利の快感を感じる空想的小説は好きです。

姜　『日本沈没』は、日本人が、危機説が好きな証拠でもあります。

地質学的に日本が沈没する発想もそうですが、政治的、経済的、社会的に日本沈没の危機が存在するということは、日本人がいかに沈没の危機か

＊1
小松左京『日本沈没』光文社、1973年

＊2
ジョージ・オーウェル『1984年』新庄哲夫（訳）、早川書房、1972年

＊3　ディストピア（Distopia）
反理想郷。ユートピア（utopia、理想郷）の正反対の社会。また、SFなどの未来を描いた作品の中で、反ユートピア的要素の強いものや、産業革命以後の社会を否定的にとらえた作品などをさす。

＊4
金辰明『ムクゲノ花ガ咲キマシタ』方千秋（訳）、徳間書店、1994年

ら敏感に反省することができるかを物語っています。

金　他者による侵略、威脅以前に、自ら「内破（implosion）」（＊5）するという自滅意識が、韓国にはとても稀薄ですね。

姜　歴史的に1000回も外国の侵略を受けているものだから、その度の災難も「時が来れば、自然に解決するだろう」という安易な思考様式で点綴していますね。「やればできる、待てば大丈夫！」という韓国人の国民性は難を克服する長所でもあり、また致命的弱点でもあります。

これらの構造的、社会的慢性病は、一過性ではなく、慢性的に韓国社会を破壊しているんですね。「敵」とは外部ではなく、常に内部に潜在していますからね。

韓国の中の敵──内破性、自滅性

金　そうです。日本では、それを「自壊作用」と表現しますが、自分の中の致命的欠陥によって、この「自壊作用」が働き、自滅に向かう危険性が

＊5　内破（implosion）
真空管などが内側に向かって破裂・爆発すること。心理学では、イギリスの精神病理学者、R・D・レインによる定義で、環境（他者）により、自己のもろくて弱い主体性が圧倒され、押しつぶされて消滅しそうになる不安・恐怖をさす。また、あえて強い不安や恐怖を感じる状況に長時間さらすことで不安や恐怖を軽減させ、慣れさせようとする「内破療法」という行動療法がある。

存在することを強調してきました。

姜　すると、この「自壊作用」のメカニズムは、一朝一夕にできるのではないと思います。韓国の光復後、近代化の過程において形成されながら、政治、経済、文化、教育全般に広がったと見ていいでしょう。

金　おっしゃる通りです。光復後数十年来、韓国は一方的な暴力と支配の法則に従う従順のノウハウ、そして反対に、対抗する闘争と批判のノウハウを二項対立の構造として築いてきましたが、新しい真ん中の解決策は欠けていました。

独裁か民主か、左派か右派か、親北か反北か、親日か反日か、このような二項対立の分類も、もはや陳腐ですね。大切なのはこんな固陋な発想から脱皮して、超越することにあります。さもないと再生は難しいし、自滅や沈没は避けにくいと思います。

姜　確かに内部の「自壊作用」のメカニズムを直視しなければなりません。例えば、二項対立構造の安易な思考様式や経済的豊かさ、情報化、都市化、平等化、民主化、平和主義が絶対化するにつれて、そのマイナス的副作用が噴出しています。

それに、環境問題と労働者問題、労使問題が突出しているし、国家と民族の南北分断も大きな問題です。

金　事大主義も一種の内破的なものですね。

事大主義は韓国のエイズウイルス

姜　「事大主義」が数十年来、韓民族の致命的弱点の一つとして、知識人や一般人の談論の話題になるのは、やはりその弊害が半端ではないからでしょう。にもかかわらず、現在また俎（まないた）の上に載せることは、21世紀の今日でも韓国を壊死に至らせる、致命的エイズウイルスであるからです。

金　事大主義に陥る地政学的宿命という説もありますね。だから、事大主義を批判、警戒しながらも、自らそこに陥る自家撞着の矛盾から脱皮しにくいです。

姜　識者たちが、韓国を「事大主義と他者蔑視主義の共存する怪しい社会」と非難するのも一理あります。自国より先進国、強大国家の国民に対しては仰ぎ見るが、後進国は蔑視してもいいのかという議論ですね。

金　事大主義は、そもそも唐や宋の時代、新羅の金春秋（＊6）が唐と結んだ関係です。それ以降、新羅、高麗、朝鮮朝を経て国策として作用しました。強大で先進文化をもっている、経済強国や中国大陸を「大」としてそこに従う（事）ということですね。そうすることで保護されるからいい感じだった（笑）。

姜　なるほど。

　事大主義に忠実であれば、文化的、経済的利益が坐って待つだけでも入ってくるから、安全で実利的で良かったんですね（笑）！

＊6　金春秋
603～661年。新羅の第29代の王（在位654～661年）。その卓越した外交手腕で唐からの援助を得て、当時新羅を圧迫していた百済を滅ぼした。新羅は、親唐政策で唐に臣属し、唐の元号を使用するなど、唐にならった国家体制を整えていった。死後、武烈王と称された。

金　高麗を破った李成桂（イソンゲ）もやはり「大」の国、中国を「事」するという国策を実施しました。事大が重要であって、その相手は誰でもよかったということ。

近代の始まった頃、朝鮮朝末期にも、中国、日本、ロシアのどこにくっつくのか、党争が極めて複雑な様相を呈しましたね。

姜　近頃の韓国が19世紀末の朝鮮半島情勢と似ていると言われますが、どの強国といかに協力し、いかに接するかという問題を論議しているからです。やはり事大主義の発想から脱皮してないです。

儒教ルネサンスの嘘

金　次に儒教の話になるのですが、「儒教」といえば、韓国ではいまでも韓国人に「文化的」優越感をもたらす一つの源になっているのは事実です。

アジアの四匹の龍――韓国、台湾、香港、シンガポールと、日本が経済的奇跡を起こしたのを、西洋の学者たちは「儒教のルネサンス」と主張しました。しかし、事実は違いますね。

姜　最近、世界の学者たちの中にも、こんな主張に賛成できないと論陣を張る人もいるのではないでしょうか？

金　マイケル・ボンドのような学者は、「儒教のダイナミズム」と表現し、1970年代末、アメリカのハーマン・カーンという未来学者は、「儒教が韓国の経済成長に重要な貢献をした」と主張しました。

姜　彼は朴正熙（パクチョンヒ）（＊7）大統領の経済主張を賛美することで、韓国政府から厚遇されたエピソードも有名ですね。

朴大統領が近代化を実行した頃は儒教を批判しましたが、国民が従わなかった。そこで、民族主義に転向する。国に対する愛国、孝道思想（＊8）を鼓吹（こすい）するようになります。それから儒教が復活するのですが、儒教が経済成長に貢献したこととは、意味が違いますね。

金　西洋の学者たちが、「儒教ルネサンス」云々するから、韓国も雷同して、儒教の価値を近代化から求めましたが、実際深く分析した結果、「韓国経済は日本植民地時代の背景があったから発展できた」という結論を出

＊7　朴正熙
1917～1979年。韓国の第5～9代大統領、軍人、政治家。韓国国防軍内で要職を務め、1961年5月、軍事クーデターを主導して、国家再建最高会議を組織。1963年、民主共和党総裁として第5代大統領に選出され、以後17年間にわたり実権を握った。1965年、日韓基本条約を締結。韓国の高度経済成長を牽引した。1979年10月、側近により射殺された。

＊8　孝道思想
「孝道」は親によくつかえ、敬う道。孝行の道。また、親に対するのと同じように、ある人、物事などを敬い、大切にすることをいう。「孝行」は、儒教道徳の基本の一つ。

したイギリスの学者たちもいます。韓国の学界でも、このような主張は20年前からありました。

姜　儒教が近代化に貢献したのではなく、むしろ阻害したということですね。マックス・ヴェーバーが以前指摘した通りです。日本の輝かしい近代化も儒教の貢献とみなす人は、日本を儒教文化圏と錯覚しているからでしょう。

金　サミュエル・ハンチントンの指摘したように、日本は儒教文化圏ではないです。西洋でも東洋でもない、ユニークな異質的文明ということですね。歴史文学の巨匠、司馬遼太郎さんも、「日本は儒教の体質化した国ではなく、儒教はただ教養として存在した」と喝破(かっぱ)しています。日本の発展を儒教から求めるのは無理です。

姜　儒教の家主国、中国が近代化に遅れた理由は何でしょうか？　シンガポールもやはり儒教的要素よりも、イギリス植民地時代の遺産があったから近代化に成功したという見解は、当たりだと思います。

儒教の前近代性

金　韓国と日本の近代化過程を比較考察してみれば、克明に現れるのが儒教による弊害の存在です。日本は儒教があるにはあるのですが、知識と教養としてです。しかし韓国は体質化し、戒律的で、思考様式、行動原理として固着してしまいました。

姜　してはいけない儒教的戒律、束縛は、韓国の特徴でもありますね。

　ドイツ人が何を言うかというと、日本人は理念的、宗教的に無節操ですが、電車、新幹線、プラットホームには、１㎝の誤差もなく停車する。ドイツ人は、自分たちはプラットホームに線を引かないと。これを見て、驚いたと告白しますね（笑）。

金　それが日本です！　日常には几帳面で、融通性がないが、宗教や観念では無節操で柔軟です。このような寛容性、柔軟性こそ、近代的ということですね。

姜　儒教の特徴は、何といっても柔軟性、寛容性ではなく、規律性です。

してはいけないことがあまりにも多いですね。上下、君臣、父子、夫婦関係は定められた規則に従わないと、反倫として「袋叩き」にされがちですから。

金　さらに、労働軽視思想、実務能力軽視、文を尊重し、武すなわち実務、技術、行動を軽んじるのです。

玄相允（ヒョンサンユン）という儒学研究者が書いた『朝鮮儒学史』（＊9）を読むと、彼は朝鮮が亡びたのは儒教のせいだと直言しています。儒教思想の中に強く

＊9
玄相允『朝鮮儒学史』民衆書舘、1949年

存在する血縁意識が閉鎖性を生み、内部の闘争から崩壊したということです。日本の植民地に転落したのも、内部的要素からきたものと指摘しました。

姜　そうですね。実は、開化期の知識人たちも儒教を批判していますね。その頃からすでに儒教の致命的欠陥や前近代性について批判して、朝鮮の民衆を啓蒙（けいもう）しようとしました。

金　李光洙（イグァンス）は、『民族改造論』で指摘した朝鮮民族の弱点は、儒教的特性からくるものも多いとしています。

日韓人物比較

姜　儒教の社会では、科学制度の有無も価値観の多様化と直接関連すると思います。中国や韓国の知識人は、四書五経を読み、科挙に合格してエリート官僚になることしか考えなかった。

　朝鮮でいうと、すなわち「ソンビ（士）」（＊10）階級です。詩を作るこ

＊10　ソンビ
学問に励み、礼節があり、義理と儒教の教えを守って、権力と富・栄華に執着しない、高潔な人物のことをさす。日本でいう「士農工商」の「士」にあたる階層。

とも、科挙試験に詩が出てくるから応試に合わせて詩作をするのであって、別に価値観があったわけでもないです。

日本は、科挙制度を排除し、採用していない。科挙以外の他のことについても認める、多様な価値観が存在しました。

金　同感です！　在日中国人歴史作家の陳舜臣（ちんしゅんしん）さんと司馬遼太郎さんは、ある対談の中で、さきほどの姜理事長と同じ趣旨の話をしています。中国はもちろん、韓国では「ソンビ」だけを仰ぎ見、別の職、技術人、実務型人材は軽蔑したとのことですね。

しかし、日本は価値観の多様性により、技術人、巨匠を高く評価し、認めました。

姜　韓国も中国も似ていますね。

金　日中韓三国の近代の大物の比較をしてみれば、面白い発見ができます。日本の江戸時代、幕末の大儒学者・思想家の佐久間象山（さくましょうざん）は、朱子学（＊11）を学んだ儒学者にもかかわらず、鉄砲を自ら作製する技術を習得し、鉄砲兵器作製家としても有名でした。さらに、オランダ語にも達者で

＊11　朱子学
中国、南宋の朱熹（朱子）を中心として大成された新儒学。仏教や道教の影響も受けて体系化されたもので、「気」と「理」を基本とする思想。日本では、江戸時代に広く普及し、幕府により官学として保護された。

した。高杉晋作もやはり、中国で陽明学（＊12）を学び、多数の書籍とともに、ピストルを二丁買って帰国します。一丁は自分用で、もう一丁は親友の坂本龍馬にプレゼントします。朝鮮のソンビは、ピストルを買うことは、あえて考えもしないでしょう（笑）。

姜　なるほど（笑）。

鉄砲を作るとか、ピストルを買って護身用にするとか、そんな発想は朝鮮のソンビには毛頭なかったですね。なぜあんなみっともないものを持ち歩くのか（笑）？　こんな考え方です。

金玉均（キムオッキュン）や朴泳孝（パクヨンヒョ）など大物も、勉学には長けていたけれども、実務型知識人ではなかった。中国の大物知識人も同じでしたね。

金　はい。鉄砲やピストルというものは、中国知識人の目には一種の「奇技淫巧（ききいんこう）」にすぎなかったです。結局、西洋の鉄砲やピストルに見事にやられるわけですね。阿片戦争（＊13）が1840年に起こりましたが、清国（しん）がイギリスに敗北したという事実は、日本の知識人に大きな衝撃を与えます。むしろ当の中国人たちは、あまりに反応が鈍かった。

＊12　陽明学
中国、明の王陽明を中心とする学派が唱えた新儒学の学説。官学として形骸化した朱子学に対する批判を出発点とし、主体的実践を重視した。「心即理」「知行合一」「致良知」を根本思想とし、万物が一体となる理想社会の実現を目指した。

＊13　阿片戦争
1840～1842年、イギリスと中国、清朝との間で行われた戦争。イギリスによるインド産アヘンの密輸により、清の財政、政治、風紀に重大な弊害がもたらされたため、清が強硬策をとり、アヘンを没収・廃棄したことにより開戦した。敗戦した清は、南京条約により、多額の賠償金を支払うほか、香港を割譲することとなった。

姜　日本が西洋文明と科学技術のパワーを認識したのが、この頃です。だから西洋の技術を習うのに何のためらいもなく、習得して自分のものにするのです。日本はこうして近代化に早く成功するわけです。

金　佐久間象山は、「東洋の道徳、西洋の芸」というスローガンで、道徳や正義では東洋が優位ですが、科学と技術は西洋が先進しているから、西洋に学ぶべきだと主張します。

日本の近代化が東アジアで早かったのは、このように西洋文明との出会いで儒教的観念が薄かったからですね。

韓国経済の恐竜

姜　韓国経済が、「漢江(ハンガン)の奇跡」（＊14）と呼ばれるほど成功した理由は、儒教を根幹としたことではなくて、儒教を打破した「朴正熙式モデル」があったからですね。

経済成長後、韓国社会や韓国人の体質にあった儒教的権威主義、全体主

＊14　漢江の奇跡　朝鮮戦争で疲弊していた韓国が、1960年代から1980年代にかけて達成した高度経済成長。これにより、韓国は最貧国の一つから一気に先進国となった。「漢江」はソウル市内を流れる川の名前。

義要素が、またもや経済成長の足を引っ張るようになるわけです。

金　なるほど。経済については、在日の最も成功した経済界のリーダーである理事長が専門家でいらっしゃいますね。韓国経済と儒教の関連について教えてください。

姜　さきほども言いましたが、「漢江の奇跡」を成し遂げた理由は、朴正熙大統領の独自的「朴正熙式モデル」から求めるべきだと思います。
当時、朝鮮戦争の休戦後、韓国は言葉通り廃墟状態でした。すべてゼロから新しい出発をせざるを得なかった。こんな時、体面やプライドは必要ないですね。まず食っていかないといけないのだから。
朴大統領は、ひとまず重化学工業に重点的に設備の投資をして、ＧＮＰ

を向上させようと決意しました。

金　日本の池田勇人の高度成長モデルを真似たという話でしょうか？

姜　はい。しかし日本の状況とはまた違います。日本は朝鮮戦争特需から資金を蓄積しましたが、韓国は無一文でした。

どうするか？　メンツなんか捨てて、海外からお金を借りるしかなかった。その国家はアメリカと日本でした。「何もないすっからかんの国」だから、体面を捨てるしかなかったのです。

金　資金はアメリカ、日本からの借金で解決しましたね。

姜　そう。技術は日本の技術を利用することにしました。韓国は日本に多くの技術の移転を要求して、次は経営力です。

古来、韓国は有能な経営者が多かったですね。現代（ヒョンデ）グループの鄭周永（チョンジュヨン）氏は、「不可能を可能にする魔術師」という綽名（あだな）をもっています。

金　やはり、鄭さんは両班（ヤンバン）ではなく、普通の庶民出身だから、儒教的思想に束縛されずに勇往邁進（ゆうおうまいしん）することができたんですね。

姜　そうですね。

なせばなる式で進めていくわけ。彼が蔚山(ウルサン)の造船所を立てるとき、皆バカだと叱りました。常識を無視したバカだと(笑)。ところが大成功し、昭陽江(ソヤンガン)のダム工事も成功させます！　世界最大規模と言われますね。

彼こそ、貧しい中で体面と常識の束縛から脱出して立ちあがった、韓国経営のモデルです。

金　姜理事長も、在日のそのような経営者の代表格の一人ですね！　三星(サムソン)グループの李秉喆(イビョンチョル)会長も学校を中退し、卒業証一枚もなしで出発したのですよね。

姜　私は彼らに比較すると、青二才にすぎないです(笑)。

金　著名な学者、小室直樹氏は、韓国の財閥企業を巨大な「恐竜」に例えました。

韓国経済、儒教で墜落する

姜　それは、面白い例えですね！

韓国の「恐竜」はもちろん企業ですが、日本の企業とは違う特徴があります。

一つは、同一家族による要職の独占で、もう一つは企業間における人材の移動が頻繁(ひんぱん)であることです。これはいけない。なぜなら、せっかく優秀な人材を企業内で育成したのに、もっと良い条件をねらって転職してしまう。組織の中で動くのですから、一人が去ってしまうと、空席が生じて能率が落ちてしまいます。

金　なるほど。家族の独占はどんな状況でしょうか?

姜　日本の経済研究学者の話によれば、ロッテの前会長、辛格浩(シンギョクホ)氏は毎日のように東京グループとソウルグループの幹部に電話で指示をしていたということです。

他の企業体も似たようなやり方らしいです。すべてグループのオーナーが掌握しますが、そこには長短所どちらもあります。この方式は、トップダウン方式、あるいはナポレオン方式ともいいます。

皇帝やナポレオンは軍全体を指揮し、決断を下し、一気に敵を攻撃します。しかし、ここに致命的弱点があります。一つは、その皇帝がいなくなると、下ではどうすればよいか分からず右往左往さまようわけです。そして、皇帝と部下の間で連絡が遮断してしまうと、システムが作動できなくなる。さらに、皇帝が命令権を独占しているので、部下は独自的に決断ができなくなります。

金　なるほど。結局は権威主義的、上下垂直の儒教的様式ですね！

姜　はい。会長やオーナーなど、何でもかんでもすべてしきる韓国の財閥方式は、危険性があります。

　この儒教的権威主義体系から脱皮できないと、韓国経済も内部から腐敗しやすいです。

金　韓国社会は国全体に、このような儒教システムの一長一短が存在していますね。

姜　そうです。

日韓中言語比較論──韓国語が最も「儒教的」だ

金　儒教の濃度を比較するには、韓日の言葉を比較すればすぐ分かります。韓国語は上下関係、権威主義的色彩が濃厚で、もっと「儒教的」だと思います。

姜　同感です！

　名前だけを見ても、韓国では儒教が普遍化して女性蔑視が深刻でした。朝鮮時代のみを見ても、韓国では女性の名前がなかったのです。

　男子には家族の世数関係によって名前を与えましたが、女子には名前を与えなかった。例えば、崔女、金女、大女、小女

のように。嫁に行けば、苗字の後に氏を付けました。両班家族だったら、「師母様（サモニム）」と呼びました。いまでも「師母」は、男子を「先生」と呼ぶように相対的称呼ですね。

金　そうですね。韓国の女子に名前ができたのは、日本植民地時代のことです。戸籍管理のため、女性に名前を付けることが義務化されてからです。

だから、韓国の女子の名前には、日本式の「子」がやたらに多いです。美子、淑子、順子、花子のように。

姜　子を多数出産して「多子多福」の意味で、「子」が多かったという説もあります。

金　日韓両国語を比較すると、類似性が多い。特に敬語体系がとても似ています。ところが、日本語は謙譲語、すなわち相手を尊重して自分自身を下げる言語表現が発達しているのに対して、韓国語は自尊語というか、絶対敬語が発達しています。

例えば、韓国では自社社長のことを사장님（社長様）と呼ぶように、先

生様、父母様のように、身内の人にも尊大語を使います。日本では絶対ありえません。

姜　なるほど。韓国語を習う日本人はこの辺りで戸惑(とまど)います。ある日本人が韓国の友人の家に電話をかけました。その友人は外出中で息子が電話に出ましたが、「父様はまだ帰宅されておりません」というので、びっくりしたとのことです。なぜなら、日本では身内に「様」は付けないから(笑)。

金　(笑)。韓国人は「日本語のほうがもっと人間的で平等的だ」とよく言います。韓国語のように身内の尊称がないから、便利で、しかも行動様式にも非儒教的要素が多いと。

姜　確かに。

日本では飲食店でも身分と関係なく、お互いに言葉を平等に使います。しかし、韓国ではお客さんが粗っぽく命令調で言う場合がよくあります。自分と相手の身分や地位を素早く把握して、呼称を使い分けるのです。

これも「儒教的」ですね。日本では、身分、地位関係なしで、すべて「さん」で通じるから。

「ニム」(様)の国・韓国

金 そうですね。日本では、総理大臣も平気で「さん」で呼びますね。外国人が書いた韓国滞在記を読むと、「ニム」(様)がやたらに蔓延(まんえん)しているとのことです。

また、님(ニム)の蔑称にあたる「놈(ノム)」も頻発します。そして、家族式の呼称を使うことを見ると、韓国は典型的な儒教社会だということが分かります。

自分より年上の女子には「お姉さん」、男子には「オッパ」(お兄さん)ですね。もっと年上の人には「おじさん」、女性には「アジュンマ」(おばさん)で、社会全般が儒教の家族そのものです。

姜 中国語には韓日のような敬語はあまりないですか?

金 はい。完全にないことはないですが、日常生活の用語は平等です。先生に対しても「你」で、学生に対しても「你」ですよ。日本語に訳すると「君」「あなた」です(笑)。

姜　なるほど。我愛你（ウォーアイニ）（笑）！

金　発音がきれいですね（笑）。理事長はいつ中国語を勉強されたのですか？

姜　金さんが日中韓三か国語を自由自在に使いこなすのに、私も頑張らないと（笑）。コスモポリタン、世界人になるためには三か国語はある程度できないと。

　中国語には敬語がないから便利です。韓国語や日本語のように上下序列などお構いないから。

金　実際、言語もそうですが、儒教的権威主義や序列意識などは、中国のほうが韓国よりはるかに少

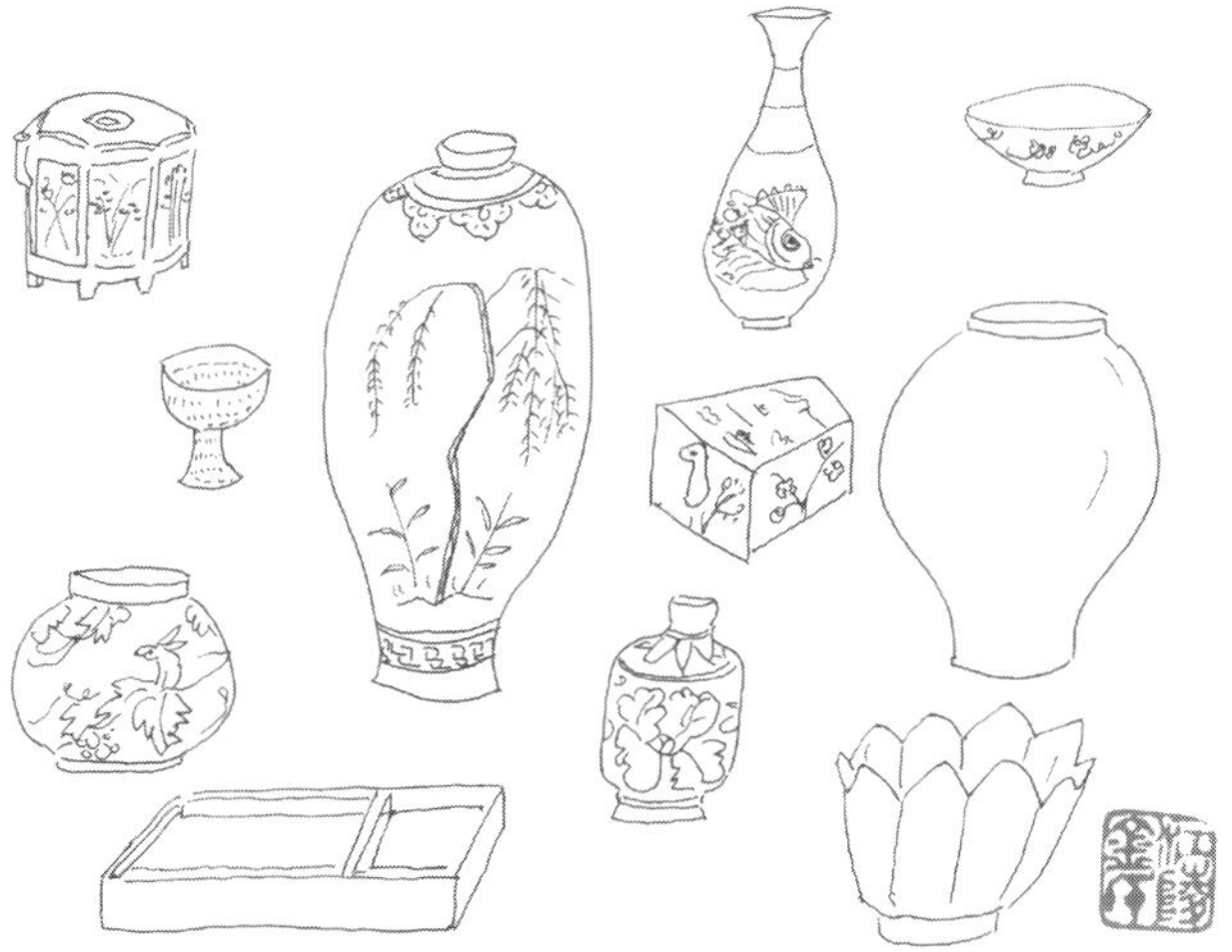

ないです。儒教文化圏のチャンピオンはやはり韓国ですね。

文化的優劣を問うのに、韓国人の右に出る国はない。もっと実務的思考様式が必要です。

姜　おっしゃる通りです。

場合によっては、敬語体系を少し崩してもよいかと思います。こんな革命的発想が必要だということですね。

儒教意識を克服するのが、韓国社会の大課題

金　要するに儒教意識を克服するのが、21世紀の韓国社会の大課題ではないかと思います。

姜　そうです。中国や日本のような儒教文化圏の国では、儒教意識を覆し(くつがえし)ています。しかし近代100年来、韓国が儒教文化からどれほど自由であったかというと、本当に唖然(あぜん)とするばかりです。

身分社会、家父長意識、君子論理、血縁的閉鎖性、男尊女卑、権威主

義、個性殺し……。これらが依然として韓国社会を抑圧する有形無形のウイルスです。

金　1999年、評論家の金経一（キムギョンイル）氏が『孔子が死んでこそ国が生きる』（＊15）という衝撃的儒教批判書を出して、大きなセンセーションを巻き起こしました。

儒教批判書が現在まで多くの読者に広く読まれているということは、儒教の弊害がそれほど大きかったという事実の反証です。

姜　なるほど。若手知識人の勇敢な儒教批判は貴重ですね。

＊15
金経一『孔子が死んでこそ国が生きる』金淳鎬（訳）、千早書房、2000年

金　著者は本の中で、儒教社会の致命的弱点と閉鎖性ついて、実に多くのメッセージを発信しています。実は19世紀末、開化期の韓国知識人たちも儒教批判をしていたのですが、当時は儒教支配があまりにも圧倒的だったので、受け入れる余地がなかったのです。

姜　朴正煕大統領も儒教批判で国民国家建設をねらいました。事大主義と党派意識など、儒教について批判しました。

金　根強い儒教社会で、受け皿をもたなかったのでしょう?

姜　そうです。だから彼は方針を調整したわけ。とにかく朴正煕式モデルの近代化は、日本式のモデル、明治維新を真似たのが多いです。「独裁体制」が、近代化実現の政治的道具として役割を果たしたのです。

金　日韓併合後、中国の代表的知識人、梁啓超(リャンチーチャオ)は「朝鮮亡国史略」や「朝鮮滅亡の原因」の中で、「朝鮮の腐敗した儒教意識が政治、社会、王朝の近代化を阻止した」と喝破しました。現在もこの見解は有効だと見ています。

姜　儒教意識を除去するのが、21世紀の韓国社会の大きな課題にならざるをえないですね。まぁ、悲しいけれど必ず通るべき「通過儀礼」だと思います。

「死体崇拝」の韓国文化

金　大体、韓国と日本を比較してみると、日本人はわりと未来志向ですが、韓国人は「過去志向」が強いです。歴史問題に対してもそうですが、危機と悲運に直面したとき、韓国人はいつも過去の歴史から答えを探そうとします。

　このような過去志向の文化は、考えてみると、やはり祖先崇拝の儒教的文化の延長線上でもあります。

姜　なるほど。「温故知新（おんこちしん）」という成句のように、韓国人は過去が好きですね。中国人もそうですが、過去から答えを探るのが特徴です。

金　これは、一種の振り返りの文化、いわば死体崇拝文化といえますね（笑）。

姜　韓国では「朴正熙」に対する未練が強いし、中国では毛沢東（マオツォートン）という独裁者に対する崇拝が、21世紀の今でも強いらしいです。習近平（シージンピン）は毛沢東の崇拝者だと言われますね。

金　独裁者支配に慣れた中国人のある種の郷愁と、韓国人の独裁者に対する郷愁は、一脈相通ずるものがあります。軍国主義への未練と言ってもいいですね。

姜　昔、貧しいとき食べた粗食を、今あまりにも豊かになってから時々恋しがる場合もあるように（笑）。

金　（笑）。まぁ、そう言えるかもし

れませんが、とにかく過去を意識・無意識的に認め、偲ぶ情、やはりそれですね。

姜　なるほど。それは言えます。

金　間違いなくそれですよ。

軍国主義は依然として存在する

姜　金さんは『日本人・中国人・韓国人』という著書の中で、町の銅像について面白い比較文化論を展開されました。

日本の町には裸婦の銅像が多いのに反して、韓国と中国では李舜臣（＊16）、毛沢東のような民族的英雄のそれが多いと指摘して、これはイデオロギー、愛国、民族という理念を全面に打ち出す韓国・中国と、市民文化を大事にする日本の差異だと、興味深い分析をされていました。

金　理事長、そこまで読まれてましたか（笑）？

私が具体的に言いたいことは、民族的英雄、偉人の銅像はその国の理念

＊16　**李舜臣**
1545〜1598年。李氏王朝の武将。1592年、1597年の豊臣秀吉による朝鮮出兵（文禄の役、慶長の役）で日本軍を撃破し、活躍した。1958年、露梁の海戦（島津勢との戦い）で戦死。

的シンボルだということですね。朴露子(パクノジャ)という人はソウルの李舜臣将軍の銅像を見て、「中世の鎧(よろい)を着た軍国主義だ」と批判しました。

姜 東京の靖国神社の入口に大村益次郎(おおむらますじろう)(＊17)の銅像がありますが、日本軍国主義のシンボルだと言われますね。実際、朴正熙さんも日本滞留中、靖国神社の儀礼に参席したのではないでしょうか?

金 日本を軍国主義と叱責する前に、韓国の中の軍国主義を反省すべきです。

姜 李舜臣の銅像は、確かに朴正熙政権下の1968年に建てられています。

軍国主義者、朴正熙がそれを建てた目的は、軍事独裁の正統性を主張するためだと知識人は批判しました。

金 私は、個人的には朴正熙大統領が好きです。彼による近代化の成功は、十分に肯定すべきだと思います。

しかし、一人の人物にも両面性があるように、彼の軍国主義的独裁支配には賛成は難しいです。毛沢東の独裁を中国で幼い頃、体験したからで

＊17 大村益次郎 1825〜1869年。長州出身。幕末・維新期の兵学者、政治家。日本の近代的軍制の創設者。第二次長州征伐、戊辰戦争で活躍した。明治政府の兵部大輔として、フランス陸軍、イギリス海軍を模範に兵制改革を行った。しかし、その急進性から旧士族らの反感を買い、1869年、反対派士族に襲われ、その傷がもとで死亡した。

しょう。

姜　朴正煕の経済成長の奇跡は、私も肯定します。でも、彼が実行した独裁の中で形成した地域感情、湖南差別（＊18）は賛成できないですね！

まぁ、言ってみれば、彼がねらった軍部独裁統治と共産主義独裁は似通った所があります。形式は違いますが、統治手段は同じです。

金　とにかく、前近代的統治手段で国民を洗脳し、民族主義、国家主義を強要する方法は賛成できません。

姜　閉鎖的ナショナリズム、国家主義を強要するのは、１９３０～４０年代の日本軍国主義と似ているからやめてほしいですね！

暴力主義の「監獄」、大韓民国

金　私の個人的感想ですが、韓国に滞在する度に、妙な雰囲気を感じさせる風景に出合います。ソウルの町で毎日のように遭遇する人々の口喧嘩、デモ隊や警察との衝突。それは、軍隊式垂直的暴力と市民に対するファシ

＊18　湖南差別
「湖南」は全羅南道エリア（木浦や光州など）一帯をさし、地域差別の対象となってきた。その原因は、新羅・後百済・泰封の後三国時代にまで遡るとされ、全羅道と慶尚道の間の対立につながった。両地域の対立は朴正煕が政権を握り、自身の出身地域である慶尚道地域を優遇し、全羅道地域を冷遇したことで顕著となった。

ズムのようなものを感じさせるのに十分です。民主化という美名の下で、暴力化が蔓延するのではないかと心配です。

姜 『反日という甘えを断て』（＊19）という本の中で、金さんはソウルで数十メートル間隔で全身武装した警察官や軍人が待機する光景を見て、西洋式民主国家というよりは「軍国主義国家」という印象を受けた、と記述していますね。これは面白かったです。

おそらく軍の姿がめったに見えない日本から韓国へと行くと、そんな感じがあってもおかしくないです。

金 軍隊式暴力と有形、無形の市民に対するファシズムのような対応を見れば、韓国もやはり前近代的な暴力構造なのではないかと思います。

姜 数年前に、ある韓国の中学校で暴力事件が発生しました。何のことかというと、学校当局では優秀な教師を激励するため旅行を計画したのですが、一人の男子教員がそこから自分が外れたという理由で机から棍棒を持ち出して、校長室に乱入したらしい。そして校長を棒で乱打しました。これは、完全に組織暴力（ヤクザ）の行為そのものですね。

＊19 金文学『「反日」という甘えを断て 再び韓国民に告ぐ！』祥伝社、2002年

金　教師の机の引き出しの中に棒があるということ自体も不思議ですね。民主主義国家で（笑）。

姜　韓国は、そんなのがあまり特別ではないようです（笑）。むしろ、当然だと思っている。やはり数年前の『東亜日報』（＊20）のアンケート調査で、「国民の85％が学校の教師の体罰に賛成する」との結果が出るほどですから！

金　毛沢東の全体主義中国でも、体罰は禁止だったのです。北朝鮮ですらも、体罰は禁物だと聞きました。

儒教的伝統の体罰主義教育の遺伝というか、外国人に対する韓国企業内の体罰も、この延長線上で解釈できます。

姜　外国人や在中同胞（朝鮮族）が、韓国企業内で暴力差別を受けるケースは大変多いらしいです。罵倒することは日常茶飯事で、殴ったり蹴ったりする非人道的体罰も頻発していますね。

金　韓国が「暴力主義の監獄」と非難されても、弁明する言葉はないでしょう。社会全体に蔓延した暴力構造を改造しない限り、「先進国」とはほど

＊20　『東亜日報』
韓国の保守系日刊新聞。日本統治時代の1920年に創刊。朝鮮日報、中央日報とともに韓国の三大日刊紙。

遠いです。

「組暴」文化の国

姜 軍隊内部での暴力も有名ですね。

金 そうです。いまや固有名詞にもなったのですが、韓国語に「組暴」というのがあるのではないですか？ アメリカのマフィアや中国の黒社会、日本のヤクザのように国際的に有名です。「組織暴力」の略語ですが……。

姜 「組暴映画」ご覧になりました？

『チング（友人）』（＊21）、『闘師父一体』（＊22）など、「組暴映画」が韓国で興行に大成功しました。

まぁ、韓国の一種の「組暴シンドローム」ともいえますね。明らかに法と秩序を破壊する集団にもかかわらず、韓国民は組暴に対しては寛容です。むしろ、そこからある種の郷愁を感じるようにもみえます。

金 なるほど。組暴自体よりも、組暴に対する態度が問題です！ 組暴に

＊21 『チング』（『友へ　チング』） 韓国映画。クァク・キョンテク監督、2001年、コリア・ピクチャーズ（日本公開／2002年、東宝東和）

＊22 『闘師父一体』（『マイ・ボス マイ・ヒーロー2 リターンズ』） 韓国映画。キム・ドンウォン監督、2006年、CJエンタテインメント（日本公開／2007年、エスピーオー）

劣らず、「組暴文化」こそ大きな弊害だと思います。
個人より集団優先で、位階を重視し、集団のためにはどんな犠牲も甘受する、「暴力構造」の一つではないでしょうか？

姜　私は「組暴文化」は、儒教的家族主義の拡大版だと考えます。力と序列関係として、問題を見たり解決したりするのですから。

金　ここから健全な市民意識と民主主義は成熟しにくいですね。
組暴文化の家族主義、暴力主義は、集団の中の犠牲と他者に対する排他性を強要してしまいますから。

姜　「力の論理」が正当化された韓国社会を反映しています。
力のある者は享受し、

力のない者は代理満足で、組暴映画を好きになるのではないかと思います。

『野人時代』（＊23）もやはり、民族主義が加味された、代理満足や享受を代弁したともみえますね。

知識人の「暴力」が恐ろしい

金　韓国の大学や知識人の「暴力」も並大抵ではないです。

大学の教授と学生の関係は、将軍と兵士の関係と変わらないといえます。外国人留学生や識者の韓国体験記にも、授業中教授が学生を下僕のように使う事実がよく登場します。

姜　日本の教授と学生は、わりあい平等です。権威主義的部分が薄いし、教授は学生の面倒見が良いほうです。韓国的命令調はあまりないといえます。

金　私が留学生の頃、日本で韓国人教授の授業を聞くとき、韓国式なまりの日本語はそれなりに容認できましたが、権威主義的で威圧的な態度には

＊23　『野人時代』
韓国の大河ドラマ。チャン・ヒョンイル監督、SBS（2002年7月29日～2003年9月30日、全124回放送）

呆れましたね（笑）！

朴露子氏の本にも、韓国の教授が助教や学生を奴隷のようにこき使う記述が出てきます。

姜　学閥独裁、やはり大きな問題です！

他学校、他教授の下から転学してきた人に対する差別は、まぎれもなく精神的暴力ですから。

金　大学の話からちょっと外れますが、よく韓国のTV放送のパフォーマンスがありますね。例えば、前大統領を暴力的な言葉で人格的に侮辱（ぶじょく）すること。政権が代わる度に、前大統領を侮辱する前近代的な韓国の「固定プログラム」には仰天します。

姜　なるほど。無知な人は多少理解できるが、知識人、言論人の言語暴力は恐ろしいです。精神的「暴力」はいけないですね！　日本に対する「反日言語」も、極めて激烈な「暴力言語」といえます。

金　それは、言うまでもなく「暴力」ですね。そして韓国内で知識人の間で交わされる論争、例えば左派と右派、進歩と保守――インターネット、新聞紙、雑誌、出版、あらゆるものを総動員して交戦する姿は、知識人の「暴力」を如実に反映しているようにみえます。

理性が欠如している

姜 韓国では、少しでも意見が違うと、互いに「左派、パルゲンイ（赤）」、または反対に「保守、極右、売国奴」などと人身攻撃をしますが、実に幼稚な面が多いです。

相手の意見を聞こうとする態度、理性的構えが欠如しています。日本には「聞き上手」という言葉があるように、相手の話をきちんと聞くのがルールなのですが、韓国では「話し上手」という言葉はあっても「聞き上手」はないです。

金 なるほど（笑）。

韓国知識人の戦いは「ルール知らず」です。ひたすら自己主張を張り、他人の主張には聞く耳をもたない。左派であれば右派の長所や主張を聞き入れ、右派であれば左派の論理や長所を吸収することもできればよいのに、相手ばかり攻撃するだけです。

戦い方が分からないので、結局互いに満身創痍（まんしんそうい）になってしまう。こういった意味で、ジャン＝フランソワ・リオタールの言葉通り「知識人の墓」ではないが、結局韓国の知識人は〝死亡〟しました。

姜　そうです！　もっと相手の意見を傾聴する文化が必要ですね。他人の話を自分の知的栄養として吸収する知恵が要ります。

金　対決のみ知り、協力、妥協を知らないのが知識人のもう一つの弱点です。左と右、進歩と保守の対決を超越した、第三の道を模索する方案が欠けています。

姜　政治や社会でも、もっぱら衝突、闘争を超えた第三の道、協力、中道の方案がなかなか出てこない。

韓国が内破の自滅性から脱皮するためには、第三の中道主義が切実に必要な時期です。

韓国知識人は死んだ?

金　知識人の話題が出てきたので、もう少し言及したいのですが、知識人をめぐる20世紀から今日に至るまでの争点は、知識人の性質と役割、責任とは何かということです。

代表的なのは当然、ジャン・ポール・サルトルの『知識人の擁護』です。彼は「『アンガジュマン』、すなわち、社会的参与を叫び、既存の理念を拒否することが知識人の役割だ」と力説しています。

もう一つの争点は、知識と権力の関係です。サルトルの弟子に当たるミシェル・フーコーが喝破しています。「知識と権力は密接な関係があるが、権力は自分のために知識を利用する」ということです。

姜　韓国知識人も、やはりこのような脈絡でいうと、権力の前では自由ではないですね。

ことに韓国社会は、理念やイデオロギーが最も複雑な社会です。その束縛から離れるのが難しいのではないかと思います。

金　そうですね。フランスの知識人、レジ・ドブレは、「知識人は権力のネットの虜になり、自ら危機を招いた」と主張しています。

姜　その通りだと思います。

やはり、知識人が権力の虜になったのは悲劇です。

金　ドブレは知識人を、１９００年代の「最初の知識人」と、２０００年代の「最後の知識人」とに区分しています。前者は知識人の役割を忠実に実行した知識人ですが、後者は集団自閉症、現実感喪失、ビジョンの不足など、自分自身の役割を失った知識人集団です。

姜　すると、韓国知識人は「最後の知識人」集団と言うべきかな？ビジョンもなく、戦いにだけ専念するイデオロギーの喧嘩屋のような。もちろん優秀な知識人も多いですが……。

金　おっしゃる通りです。「自由の精神」でこの国の権力を批判する「最初の知識人」は、韓国社会では死んだという感じです。

韓国を不幸にする内訌

姜　金さんは『反日という甘えを断て！』の中で、韓国社会を不幸にする内部システム、原因について大変興味深い問題を提起しました。

その中でも、韓国の内訌、つまり内部紛争について多数扱っていますが、「これが改めて韓国を不幸にする」という指摘は、相当意味深いと思います。

私もこれについて自分なりに結構考えてきましたが、やはり南北分断の中で、社会のイデオロギー的葛藤、政府と言論の闘争、左と右の攻防戦などなど、このような背景を勘案すれば、金さんの指摘

を実感します。

金　地球上、いかなる民族や社会の中にも、内部紛争は存在するに決まっています。それは二つのタイプで分かれると思いますが、一つは内訌、もう一つは調和です。

これを韓国と日本社会を比較してみると、韓国の内部闘争は内訌に近いし、日本の内部闘争は調和に近いといえます。

姜　昔から「党争」「政争」という言葉があったように、お互いに内部消耗戦で激しい様相を呈するのは、日本よりも韓国が強いという評があります。朝鮮時代500年の「党争」の歴史的史実は、如実にこれを立証しています。

金　日本では「党争」はもはや死語になってしまいました。内部闘争という面から見ると、韓国の歴史を「内訌の韓国史」と言っても過言ではありません。

中国知識人も内訌が多かった中国を「窩里闘（ウォリードウ）」という言葉で表現します。伝統的に事大主義の強い朝鮮半島が内訌を輸入したことも無視できません。

姜　ところが、韓国は民主化を標榜するにもかかわらず内訌が激しいのは、何といっても「いとこが土地を買っても腹が痛む」ということわざのように、感情優先、嫉妬心肥大症と近代競争意識の欠如から由来するのでしょう。

金　なるほど。西洋人や中国人が開化期の朝鮮や日韓併合前後に書いた本や文章を見ると、韓国が植民地支配にやられたのも、民族存亡の危機に直面しているのに、闘争や派伐の喧嘩に熱中していたせいだと、その理由を「内訌」に由来すると指摘しています。

姜　独立後今日までの韓国社会は、「内訌」という側面から考察すると、やはり内部闘争史といわざるをえないです。

小さいのは日常生活、会社内部の同僚同士の猜忌、こき下ろし、大きいのは政争に至るまでそうですね。

南北分断の持続も、やはり民族同士の「内訌」というしかないです。外国の力も加わっているのはもちろんですが、結局はわが民族内部の血みどろの戦いです！

韓国人と日本人の「内訌」の違い

金　日本にも内訌がないわけではないですが、日本人は内部のトラブルを激しい「内訌」にまでエスカレートさせずに、集団の利益を優先するため、いつも協力、調和精神が働きます。この面でも日本は韓国よりは先進国ではないかと思います。

姜　だから、日本人は一人ひとりはとても弱い存在のように見えますが、三人集まれば龍になるんです。

しかし、韓国人は一人ひとりは強くみえますが、三人集まればミミズになると、金さんが本の中で指摘していましたね（笑）。

金　（笑）。まぁ、一種のジョークですが、反省せよという意味もありますね。

笑い話として受け止められればいいんですが、韓国の読者たちはこれを見て、私を殴り殺したいやつ、売国奴だと罵倒します（笑）。日本で講演する場合、私は戦後の日本人は、南インド洋のモーリシャス島の退化した豚鳥（ぶたどり）だと叱責します。すると熱い拍手喝采です！

姜　（笑）。日本では『みにくい日本人』（＊24）がベストセラーになりましたが、日本を批判した本はよく売れますね！　アメリカでは『醜いアメリカ人』、中国では『醜い中国人』が出ていますね？　すべてベストセラーです。

しかし、韓国では『醜い韓国人』を書いたら、書いた作家をこき下ろすのに余念がないでしょう。

＊24　高橋敷『みにくい日本人　太陽の国・ペルーからの報告』原書房、1970年

２００１年、金さんは朝鮮族の総合文学雑誌『長白山』に「朝鮮族大改造論」を発表されましたが、これが全朝鮮族社会の「金文学殺し（きんぶんがく）」キャンペーンを引き起こしたのも同じ脈絡で解釈できます。

わが民族の反省の覚醒を訴える作者の、切実で真率（しんそつ）な意図を無視して、わざと「作者殺し」に余念のない姿こそ、私たちの中の内訌を如実に証明しているのではないでしょうか？　われわれ自らの自己批判は、絶対に必要で意味深いです。

金　おっしゃる通りです！

姜　私は、いつも金さんを応援します！

金　誠にありがとうございます。

墓の上に立つ韓国

金　韓国の歴史学者、韓洪九（ハンホング）教授の『大韓民国史』（韓国語版）を読みました。それで私が改めてショックだったのは、朝鮮戦争前後、韓国で行われた大量の民間人虐殺という事実です。

姜 確かに。朝鮮戦争は民族最大の「内訌」でしたが、それ以前に韓国内部であった民間人虐殺は、最も恐ろしい内訌の見本ですね。

金 民間人虐殺で使用した方法は、人類史上のあらゆる殺人方法が総動員されました。殺された民間人は100万人ほどというから、ある意味、戦争以上の災難です。

姜 米軍がやった老斤里（ノグンニ）虐殺事件（＊25）も話題になりましたが、それは氷山の一角にすぎないと言われています。

金 「国民保導連盟事件」（＊26）など、朝鮮戦争前後に韓国軍が、非武装の国民を一か月の間に延べ30万人も殺害したという資料があります。ナチスの虐殺に似ていますね。

姜 えぇ。民間人の虐殺は、日本植民地支配下の虐殺よりも、わが同族による内部の「パルゲンイ狩り」（赤狩り）が、規模や強度において最も残酷だったと韓国の知識人も訴えていますね。

朝鮮戦争前後の民間人虐殺は、「熱いフライパンから離れたのに火の穴

＊25　老斤里虐殺事件
1950年7月、朝鮮戦争中に老斤里で起きたアメリカ軍による韓国民間人の虐殺。老斤里の韓国人避難民の中に北朝鮮兵がいるという疑いから、空軍機による機銃掃射で避難民を無差別に殺害した。

＊26　国民保導連盟事件
朝鮮戦争中に、「国民保導連盟」の関係者や民間人を韓国政府・韓国軍などが大量虐殺した事件。「国民保導連盟」は、1949年、反共主義のもと、反体制派や左翼転向者の保護・指導のため結成されたが、朝鮮戦争勃発に伴い、保導連盟関係者の処刑計画が進められた。

に陥った」という式です。

金　不思議なのは解放後、数十年が経っているのに、なぜこの歴史的史実を埋めたまま放置しているかということですね。

姜　やはり、韓国の恥部だから、蓋を開けたらいけないということでしょうか。わが韓国の「内訌」の典型的ケースですから。

他民族の侵略と虐殺は厳しく糾弾しながらも、われわれの中の虐殺は口にしてはいけないのが韓国社会の慣例ですね。

もう一つは、民間人は弱者ですから無視してもいいという、人権意識の欠如もあるのではないかと思われます。

金　「歴史を正しくする」というキャンペーンを、韓国では対日本に限ってのみ正当化、合理化しようとしてきましたが、これからは、韓国の内の歴史を正しくするキャンペーンを展開しなければならないですね。歴史の墓の上に立つ史実を……。

姜　そうですね。

韓国は歴史や史実の歪曲が多いです。歴史や史実を放置したり歪曲するのは、われわれ自身の恥ではないでしょうか？　これらを直すことこそ急務です！

今日も熾烈な内部消耗戦

金　韓国文化の二頃対立構造は、外国の学者や韓国の学者たちからも指摘されました。

儒教と巫俗（＊27）、男と女、両班と庶民、体制と反体制、高級文化と低級文化、ウリとナム（われわれと他人）、愛国と売国、親日と反日、進歩と保守、左派と右派、親北と反北……。

このように対立構造が突出した社会です。

姜　なるほど。「新聞戦争」という韓国の名物をご存じでしょう？　日本のように新聞社の間で展開する販売競争ではなく、左派と右派を自称する市民団体、知識人と新聞との戦いです。

『朝鮮日報』、『中央日報』、『東亜日報』、いわゆる「朝中東」に対する攻

＊27　巫俗
朝鮮に古代から伝わる土着の民間信仰。ムーダン（シャーマン）が神を憑依させ、祭儀や歌舞を行う。

撃も半端ではありません。

そしてインターネットやスマホでも、無数のサイバー団体が毎日のように攻防戦を繰り返しています。お互いに人身攻撃で、実に激しい舌戦を展開しているのです。

金　アルビン・トフラーが1980年代に予見した「第三の波」、すなわち、情報化時代の弊害が最もよく現れたのが韓国社会です。そして、サイバー戦争が最も熾烈なのも韓国。党争、市民戦争、個人攻撃、「進歩」と「保守」、「愛国」と「民族」を自称するサイトが内部紛争へと昇華しています。

姜　だから、舌戦が舌戦で終わることを繰り返している。朝鮮時代から「空論」が好きだと定評があるわが民族は、今日も無謀な内部消耗戦を続け、やがて自己破壊につながるかもしれま

せん。

さきほどの「調和」が欠如しているから問題ですね！

金　そうです。対立はもっと大きな対立を招きます。実際、国益や社会のための建設的対案はなく、悪循環だけ継続します。

第四章

「反日」と決別せよ！

── 日本を歪曲するのは韓国の歪曲

日韓は宿命のライバル

金　よく「古来、隣国とは仲が悪い」と言われます。これは、日本と韓国の関係を説明するのに有効だと考えます。

天然的地政学的関係からはじまる宿命のライバル。いままでこの「宿命的ライバル」という意識に安住しながら交流、交戦してきましたが、相手に対する差異を受け止め、開放した心で共有、共生を求めるのがふさわしいと思います。

戦うライバル、糾弾の相手ではない、理解と協力の相手、隣人を抱擁（ほうよう）する知恵のようなものを韓国人も持てば、と希望します。

姜　日韓関係を論じる場合、この「宿命的ライバル」「ややこしい宿命」はどうしようもないと思います。

日本の知識人の中では、このややこしい喧(やかま)しい日韓関係を見て、どちらかの一国が月に引っ越していかない限り、戦いは永久に終わらないとジョークを言っています(笑)。月や木星に引越するという発想も面白い！

一方で何か動きがあれば、もう一方ですぐ反応し騒がしい事件が起こり、反日キャンペーンが勃発(ぼっぱつ)するのが、今日の両国の事情ではないでしょうか？　そのような敏感な対応に理解はしますけれど、もっと成熟した、次の悠然とした態度が必要だと思います。

金　なるほど。悠然さ、成熟さが欠如していますから、なお騒がしいですね(笑)。

私から見れば、日韓問題の大部分は日本とのトラブル、日本というライバルとの問題のみだと思いがちですが、実はこんな考えも必要だと思います。つまり、日本との問題は、日本をあまりにも安易に非難、糾弾するよりも、これはまず韓国内部の問題だという点、韓国が日本を見る姿勢を反省する必要があるという点、これを悟るべきだと考えます。

姜　「われらの中の問題」というのはいい発想ですね！

　しかし、それはたやすく達成できるものではないです。「韓国は弱者でやられたことがある」「日本は強者で、加害者だ」という認識にとり憑かれた韓国人が、相手を客観化してみるというのはなかなか難しいことですよ。

われわれ内部の問題

金　だからこそ、相手を客観化して、自分自身を他者化して見る視点がもっと必要ですね。日本といえば無条件に否定的で、非道徳的加害者、低質文化というかたちで歪曲する、歪められた韓国人の心性を再生産するのは、百害あって一利なしです。

理事長のように日本を公正に見る在日は、まだまだ足りないですね。

姜　戦前、日本の炭鉱夫として働いた父の世代、そして在日二世として山口県宇部市で生まれた私は、確かに「在日」が体験したように、差別を受けてきました。

高校三年生のとき、自分で言うのは自画自賛になるかもしれませんが、学校でも三本の指に入るほど成績が優秀な生徒だったのです。当時、偏差値テストの後、職員室へ呼ばれ、「これは本当に鳳山（ボンサン）（当時の名前）、お前か⁉」と驚かれたほど、トップクラスでした（笑）。

もちろん、私は一流の国立大学へ行き、夢だった医者の道を目指すつもりでした。しかし、担任の先生から「鳳山君、君の成績なら合格すると思う。しかし、韓国籍では卒業しても仕事はないよ」

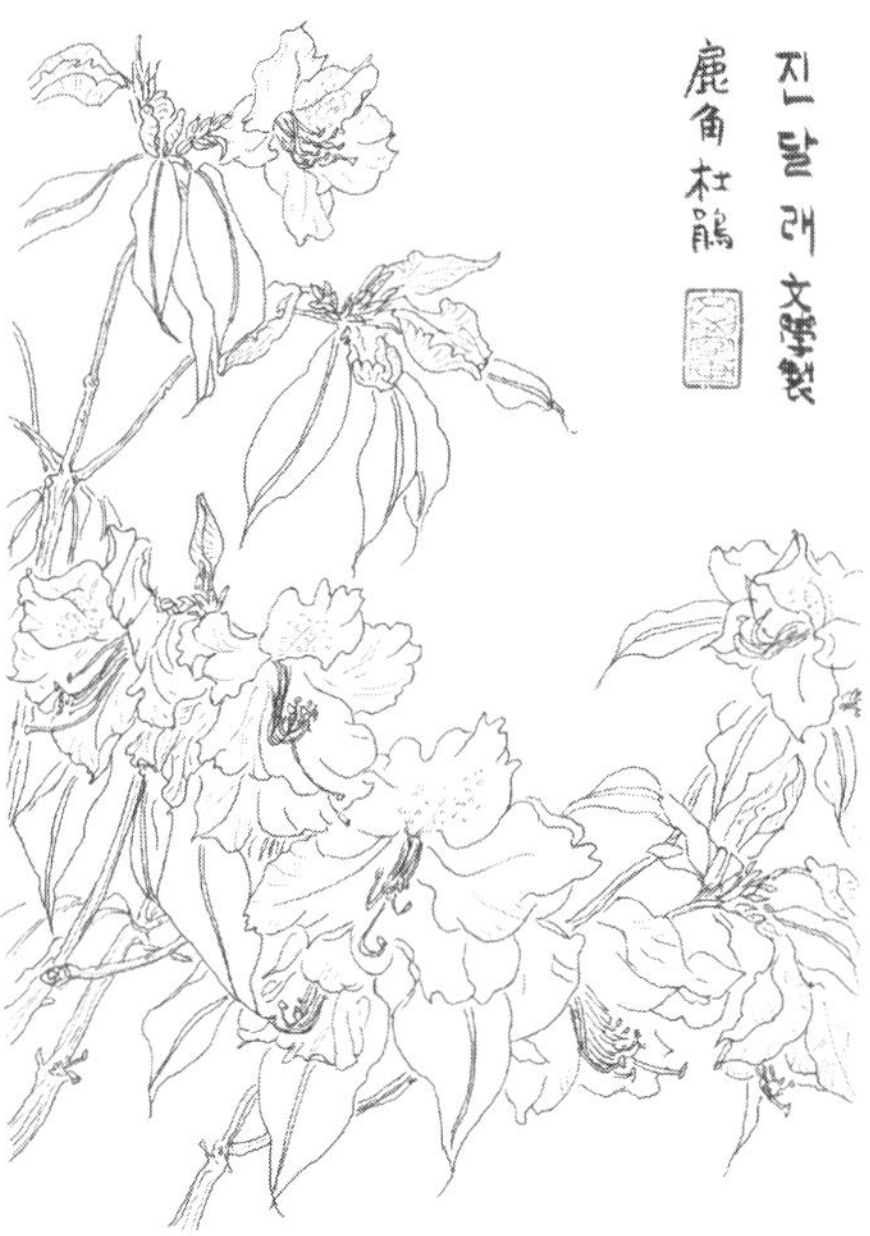

と言われました。私はその時、奈落の底に落とされたようなショックを受けました。

このような差別環境の中で、私は頑張って一応成功した経済人になりました。そして、いまでは日本に帰化し、日本を恨むよりは日本を公正に見る視点ができています。何かの偏見や固定観念は捨てるべきですね。とくに「反日感情」は。

金　おっしゃる通りです。やはり理事長は「知日家」のエリートですね！

姜　平素より私は読書が好きで、読書から自分の知性や感情、視野、思考力を養うために頑張ってきたからでしょう。

在日の中の、特に広島の「民団」の中のいわゆるリーダーを自称する人間は読書もしないし、思考も停止してしまって、頭脳がさびついてしまっています。

しかし私は、日本の中の在日同胞、日本との関係、いかに在日の可能性を発揮するか、日韓関係の中でいかに役目を果たすべきかなどについて考えてきました。

金　だから、いまや理事長は在日随一の精神的リーダーになられました。

姜　金さんも日本に留学して、日本を偏見なしに見ることができる立派な学者、文明批評家になられました。やはり、他者を偏見でステレオタイプに見るより、公正に見る視点は不可欠ですね。

金　大賛成です！　私も日本留学が人生を変え、「知日派」の知識人になれたことを幸いと思います。

「反日」を断て！

姜　金さんの著作『反日という甘えを断て！』を読んで、大きなショックを受けました。２０１９年、韓国ソウル大学の李榮薫（イヨンフン）氏の『反日種族主義』（＊1）がベストセラーになりましたが、金さんはもう20年近く前に反日を国策とした韓国の反日感情、反日民族主義の偽善を果敢に批判しました。まさに先駆的です！

金　ありがとうございます！

＊1　李榮薫『反日種族主義 日韓危機の根源』文藝春秋、２０１９年

ご存じのように、現在まで韓国社会では大きなタブーがありました。一つは反共（北朝鮮）問題で、もう一つは反日問題。いまは北に対する反共タブーは破られ、北に対してはどの時代よりも寛容です。しかし、反日だけはいまだに完全に破られていないです。

姜　なるほど。

朝鮮族出身の知識人として、初めて「反日を捨てろ」と宣布した、金文学氏の勇気と知見には大賛成です！　反日教育の環境の中で、反日は韓国社会の主流になりましたが、いまだに日本を否定的に見る歪んだ日本観は、韓国自身にも不利です。この点を20年前に勇敢に指摘したのはすばらしい！

金　（笑）。ゴマップスムニダ（ありがとうございます）！　皮肉にも日本を糾弾し、日本の歴史を「歪曲」だと一貫して訴える韓国の歴史認識には、極めて大きな偽造、歪曲、偏見が存在しています。教科書や一般市民の歴史観に至るまで、是正すべき部分があまりにも多いです。日本だけ糾弾することで、韓国の中の歴史歪曲、欺瞞を隠蔽（いんぺい）するのは不幸です。

姜　金さんは、本の中で韓国人の「反日」は、日本という国に対する一種の「甘え」だと叱責しました。そして、親日派問題と関連して、韓国の親日派糾弾は内部消耗戦だと指摘されましたが、相当衝撃的でした。

韓国の「反日」は解放後、その相手が日本人というよりは、韓国の中の親日派ということだと喝破（かっぱ）し、「反日」「親日」について、全く新しい視点で見るべきだと主張しました。

金　韓国の反日は、１９４５年8月15日の独立を契機に、植民地の終焉とともに、相手が変わります。すでに撤退した日本人というよりは、同胞の中の「親日派」がターゲットになる。そして、親日派糾弾が反日へと発展してしまいます。

姜　なるほど。しかし、当時「親日派清算」をしっかりできなかったので、いまだに「親日派清算」が続いているのではないでしょうか?

民族的コンプレックス

金　そうです。なぜ当時清算できなかったかについて、真摯（しんし）に反省しなければなりません。「親日派」という歴史的現象についても、改めて見る必要があります。「近代化遺産」としては、日本が残したものを肯定的に見る視点は欠如してはいけません。

当時、すべての「親日派」を清算していたら、この国を再建する人材はいなかったでしょう。彼らを多く活用したのが韓国の近代化でした。

姜　同感です!

韓国人には「民族的コンプレックス」というのがあります。反日感情は、日本に支配されたという侮辱感から抜け出せないからです。儒教の文化圏では、韓国が兄貴で先生だったのですが、弟に、弟子に負けてやられたという屈辱感がありました。

このコンプレックスを克服しない限り、韓国の反日感情は続くと思います。

金 解放以来、韓国が「反日教育」を実施したのもここからですね。

姜 天安（チョナン）にある独立記念館をご存じでしょう？ 1982年に日韓教科書問題のトラブルが起

1904年頃のソウル風景

こったとき、全斗煥政権が募金をして建設した一種の博物館ですね。

　分かりやすく言えば、「日本帝国主義蛮行博物館」ともいえます。「日帝侵略館」という展示館がありますが、日帝の残酷な拷問を受ける韓国独立闘士たちの姿を蜜蠟で生々しく再現しました。これらを見ながら、日帝の悪いイメージを再生することしかしない。日本植民地時代の記憶を残すのはいいですが、極端に日本人は極悪非道だと決めつけるのは問題です！

金　また興味深いことに、一方では日本植民地時代の記憶を抹殺しようと朝鮮総督府（＊2）を撤去し、一方では日本の悪を記憶するため、独立記念館を建て、記憶を還元させています。

　もし、朝鮮総督府を撤去する目的がしっかりしているのなら、こんな独立記念館を存続させる理由は一体何かと質問したいです！　私は、こんな施設はいますぐ撤去すべきだと思います（笑）。日本のイメージを極端に歪曲する反日教育は、結局日本を憎む被害者意識を量産するだけで、しかも日本を正しく見られない韓国人を育成してしまいます。

姜　そうですね！　解放後、日帝を憎み、すべての悪の根源とみなす反日

＊2　朝鮮総督府
1910年、日韓併合に伴い、日本政府が京城においた朝鮮統治機関。寺内正毅が初代総督となり、以降は陸海軍の大将が総督を務めた。1945年、日本の敗戦により廃止された。

教育で、韓国人の日本認識を固定してしまったことが大きな問題です。

反日教育の下で育つ子供が日本に来て日本が好きになるのは、反日教育の弊害をよく立証しています。敵愾心（てきがいしん）と偏見、歪曲ではライバルを理解することも勝つこともできない。

日本を怨み、歪曲し、罵倒することで、一時的な感情の快感を味わうことはできるけれど、日本を認識すること、追い越すことには何の役にも立ちません。

李榮薫さんは、韓国の反日をあえてずばり、「反日種族主義」と称しました。「それは1960年代から徐々に成熟し、1980年代に至り爆発して、学界でもそれに便乗して日韓の近代史の数多くの嘘を作り出していますが、これらの嘘はまた反日種族主義を強化してしまい、この数十年間、韓国の精神文化はその悪循環であった」（『反日種族主義』）と。

金　正鵠（せいこく）を射た指摘です！　もはや「反日種族主義」の一方的な祭りに終焉を告げる時期が来ています。

反日は、結局一種の韓国の内部の消耗戦でもあります。責任を他者に転嫁し、自己反省を自ら遮断してしまいます。反日を断つことは、韓国自身を救う道でもあるのです。

姜　なるほど。反日の祝祭は、表面上は華麗であるものの、実は日韓両国の建設的関係には一益もないです。

やはり非常に幼稚なナショナリズム、反日種族主義は、日本にも悪ければ、韓国自身にも禍(わざわい)です。

金　「反日」より「知日」「協日」が大切です！

日本を歪曲することは、われわれの歪曲である

金　日韓関係では、日本に対する歪曲は、結局韓国自らへの歪曲につながります。日本を見るわれわれのプリズムに問題があるからこそ、相手も歪んで見えると思います。相手の歪みを糾弾することも必要ですが、その分われわれの歪曲も自省しなければなりません。

姜　現在、韓国が知っている日本人は、主に「侵略と掠奪」を敢行した、

植民地時代の日本人や昔の日本人にすぎません。しかし、日本と韓国は最も近い地理的距離にあり、交流もとても頻繁ですが、はたして日本人、日本文化についてどれほど知っているか疑問ですね。

金　先ほど、理事長の話の中に「侵略と掠奪」という言葉がありましたが、これにも語弊がありますね（笑）。

姜　（笑）。その通りです！　韓国人には、反日感情の虜になって、日本人を内心認めながらも、軽蔑しようとする歪んだ心情があります。このような歪んだ心情が、日本に対する歪曲と誤解を生む張本人です。

すなわち、あまりにも日本を知らないということです。例えば、韓国人は毎日のようにテレビ画面の天気予報で日本の地図を目にしながらも、日本が韓国より

国土面積が狭いと錯覚する人も多いですから（笑）！

つまり、韓国人が知っているのは、歪曲された、真実ではない日本です。また、多くの韓国人と日本人は外見上とても似ていますから、よく知っているように自ら錯覚している。

初めて日本を訪れる韓国人や留学生が何と言っているかといえば、「あぁ、日本はわが国とあまりにも似ている！」と。

外見上はそうかもしれないが、実際は韓国と違う面があまりにも多いのに。それを徹底的に研究し、理解しようとしないのが問題ではないでしょうか？


金　同感です！　日本に対する歪曲は、すなわち韓国の歪曲を立証しています。

日本は刀の文化、残酷だとか倭寇（わこう）のようなものだとか、このようなイメージは数百年前の認識と変わらない。

解放後（戦後）日本人は質的に変化したのですが、韓国人が依然として昔と変わらない視点で日本を見ることは、韓国にとって百害あって一利なしです。

例えば、昔、韓国が一方的に日本に文化を伝授したというのも歪曲ですね。

実は日本も韓国に文化を教えた

姜　日本も歴史的に韓国へ文化を伝えたと、韓国の学者たちも認めています。それはタクアンと花札だと（笑）。

金　そうです（笑）！　韓国の知識人たちの常套（じょうとう）的決まり文句ですね。しかし、それよりも文化にはＵターン、逆流的交流もあります。

倭寇が悪いと言いますが、彼らが韓国の海岸線で威（おど）したので、韓国では、海鮮よりも肉食を選びました。仏教の関係もありますけれど、韓国人が肉食をするようになったのは、日本から伝わったゴチュ（唐辛子）のおかげです。

姜　なるほど。

ゴチュがない韓国料理は想像もできないからね。ある意味で、韓国文化は「ゴチュの文化」です。キムチも生まれなかったかもしれません、ゴチュがなかったら。

金　はい。ゴチュとジャガイモ（カムジャ）は、日本から伝えられた二大文化アイテムです。やはり、韓国人が肉食をできるようになったのは、日本から伝えられたゴチュのおかげです。ゴチュは、結局キムチ文化を誕生させます。

姜　古代史はもちろん、最近でも日本人は「狡猾（こうかつ）で、残酷で、独創性がなく、退廃的で、性的倫理が乱れ、暴力が跋扈（ばっこ）し、低質だ」と、こんなイメージが一般化して定着しているから、歯がゆいです！　ところが興味深いのは、韓国がこのような日本の「低質文化」を真似して、パクるのに熱中していることです（笑）。

金　近代の韓国の漢字語は、ほとんど日本から取り入れたものです。法律制度さえも日本から模倣したのです。実際、近代以来、文化は日本から韓国に流入したことを韓国は無視し、歪曲しようとする。

植民地支配についての歴史的認識も、相当歪曲、誤解しています。あとで、これについては話しますけど……。

姜 解放後、もう80年近くになるにもかかわらず、日本を敵対視するナンセンスから、本当の善隣として見ることのできる成熟さが韓国には欠如しています。

被害者意識をベースとしてできた、歪曲した日本観を繰り返しているのは、確かに韓国の問題ですね。韓国が本当に「独立」するためには、日本歪曲か無視ではなく、直視しなければなりません。いままでは仲の悪い宿命的ライバルでしたが、これからは新しい調和の関係に転換する知恵が必要です。

金 おっしゃる通りです！

なぜ、日韓歴史観にギャップが生まれるのか？

姜　日本と韓国は、まるで東アジアの中の悪い双子のようで、慰安婦問題、戦争の謝罪問題、植民地支配の歴史問題などなど、今もなお両国間のトラブルが続いています。

私は、この根本的理由は、両国の歴史観のギャップから生まれていると思いますが、比較文化学者の金さんはどうお考えでしょうか？

金　結局、「歴史を見る目線」をどこに置くかという問題だと考えます。

歴史学者たちは、歴史を客観的に記述することは大変難しい作業だと告白しています。大部分が、片一方だけの立場のみを正当化する記述だということです。

姜　なるほど。勝者の立場から書いた正史がある反面、敗者の立場で書かれた野史が存在します。

まぁ、「歴史とは物語」だという話もあるように、自分自身の立場を美化し、他者を醜化する現象は一般的ではないでしょうか？　自己中心的な歴史記述は、常に必要に応じて改ざんされる恐れが生じます。

金　そうですね！

例えば安重根（アンジュングン）は、韓国では最高レベルの独立義士で民族の英雄です。しかし、日本の立場では明治の元勲で最高指導者の伊藤博文を暗殺したテロリスト、罪人にすぎない。どちらの立場で解釈するかによって、一つの歴史的人物や事象が違う様相を呈するわけです。

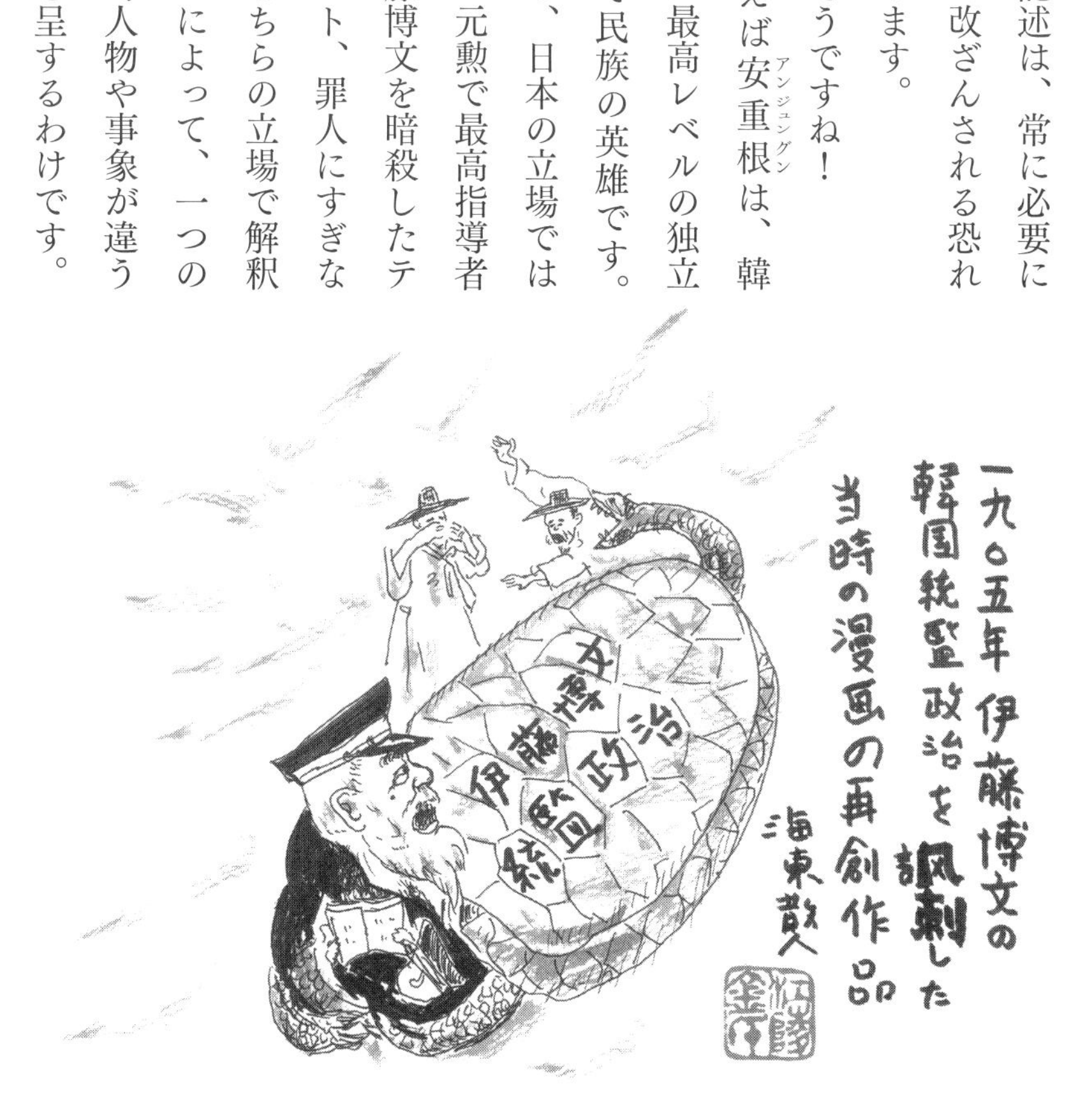

姜　はい。自己の立場や視点によって、同一事実に対する見方も変わるように、韓国と日本の歴史認識もこの構造から脱皮できない。だから、歴史に対する解釈や記録はまちまちですね。

金　そうです。私はこう考えます。世界を見る際、歴史観も含めて、自分自身の目で事実を直視し、真実を見極める目が要ります。さらに自ら、自己の立場、視点、固定観念すらも反省し、疑う姿勢が必要だと。

「過去志向」の韓国と「未来志向」の日本

姜　歴史観における韓国人は「過去志向」で、日本人は「未来志向」だというお話がありました。韓国では、過去に格別に執着する儒教的思考様式が体質化したからですね。

しかし、日本人は「未来志向」と言われますが、それは過去―現在―未来を一つの延長線上で理解するということでしょう。

金　「過去志向」には断絶史観があります。すなわち、過去を現在の視点で見ながら記録することです。いわゆる「歴史を正す」という発想は、現在の視点で過去を修正するということですね。日本では、容易に過去を否定しないのですが、これは断絶ではなく連続的に歴史を見るからです。

姜 韓国は、王朝が変わる度にイデオロギーも変わります。高麗時代の仏教崇拝は、朝鮮時代になるとただちに儒教崇拝に変わりました。高麗青磁が朝鮮(李氏朝鮮)白磁に変わるのも同じ脈絡からですね。

金 なるほど。私は、光復後は日本に親日、協力した多くの人が、いつの間にか「反日派」に変身したのも同じ論理だと解釈したいです。日本が撤退すると、「親日」から「反日」へと一変する。

姜 あくまでも、過去に執着する韓国人と過去よりも現在、未来を重視する日本人の思考様式の違いからでしょう。

だから、日本人は過去に寛大です。日本では、「人が死ねば仏になる」という思想があります。しかし韓国では、死んでも生前に罪人であったらその死体に鞭を打つ「鞭屍」文化が残っています。

金 それは中国も同じです。悪人、罪人は死んでもお墓を暴いて、その屍体を掘り出して、なおも打つ有様です。2000年前に死んだ孔子すらも、今、死ぬほど批判されることからも分かりますね（笑）。

日本では、どんなに悪人であっても、死んだら容赦する伝統文化があります。つまり過去には寛大ですね。

姜　また、被害者と加害者という立場で過去を見る際、認識のギャップをもたらします。

日本は加害者で、韓国は被害者、その相反する立場も、相互理解の障害物になります。

金　文在寅（ムンジェイン）さんは、いまだに「被害者中心主義者」ですが、これがいけません。私は「被害者VS加害者」の構図も、もはや陳腐（ちんぷ）な見方だと思いますが（笑）。この構図をこえる努力も必要ですね。

姜　それはグッドアイデアだと思います。皆が自己の立場を正当化するから問題です。台湾の李登輝（りとうき）総裁は以前、芥川龍之介の『藪の中』を引用しながら、「事件は一つであるが、三つの違う見解がありうる」と言いました。

金　黒澤明監督によって映画化されてますね。ある夫婦が京都で殺害された事件で、目撃者数人みな立場が違います。強盗、女子、そして巫女の立場です。つまり同じ事実に対して、立場によって見方が異なるということです。

姜　独裁国家であれば、国家権力で認識を統一することもできますが、自由社会では多様な認識の存在を認めますからね。

金　国家による認識はもっと複雑です。相互認識の差異を認め合う態度が必要です。差異を無視する限り、歴史認識も同じくすることは無理です。

森の発想と砂漠の発想

姜 大体、東洋人は西洋人と比較して、視野が狭く自己の城の中に坐って思考しがちだと指摘した西洋知識人もいます。「象牙の塔」の中に座り込んで現実と乖離した発想、思考をするのが好きだと言われます。

金 『森の思考・砂漠の思考』（＊3）という本があります。この本の中で著者は、森の中で暮らす東洋人と砂漠で暮らす西洋人とで分類しています。そして、「森の中の東洋人は森の外に出たことがないので、森全体を見られない」と言っています。

姜 （笑）。自分たちが暮らすところを客観視できないということですね？

＊3
鈴木秀夫『森の思考・砂漠の思考』ＮＨＫブックス、１９７８年

金　そうです。だから、やれることは周辺の木や草の種類に関する分析だけです。花草や樹木一つひとつについては細かく知っていますが、森全体については全然知らないということです。

姜　なるほど。視野が狭いですし、長い目線で物事や歴史を見る能力に乏しいのでしょう。

金　はい。ところが、砂漠に生きる民族は遠くを眺めます。砂漠では自分自身の立っているところを常に考えなければならない。空間と時間の中で、大きなスケールで思考するということです。歴史の流れを見て、昔はどうだったか、現在はどうだ、そして将来はどうだろうかと、長久的視点で考えることが可能です。

姜　結局、韓国と日本を含んだ東アジア民族は、長い歴史の流れの中で物事を判断する視点が欠けているということですね。

　確かに、韓国人も日本人も、目の前のことだけ見て判断、行動する傾向が強いです。

金　歴史を見る歴史観に限って言えば、例えば「植民地」支配を語るとき、植民地支配は無条件に悪だと判断するのではなく、世界の植民地支配、イギリス、フランス、ドイツ、スペイン、オランダなどの植民地支配を受けた諸国全体を把握して、客観的視点で比較することが大事です。過去の歴史について、長い流れで見る視角は必要不可欠です。

姜　植民地の歴史は、確かにややこしいですね（笑）。

やられたという被害者の意識があるから、歴史的深さを根底とした長遠な客観的視点は至難ではないかと思います。イギリス、フランスなど西欧の植民地支配と比較研究することは極めて必要であり、効果的だと思います。

しかし、「砂漠の発想」は、われわれには習得することの難しい思考様式ですね。目の前のことと感情にとても忠実なわが民族だから。樹木、花草一本ずつ見るのもいいですが、森全体を見ることが、われわれにはもっと必要ですね。歴史認識においても、このような発想は不可欠ですから。

「親日」を肯定的に見る視点

金　「親日派清算」の問題が、韓国社会ではいまだに、なおさら「日帝清算」のための最大の課題の一つになっていますが、実際これも別の視点で見る必要があります。

金完燮（キムワンソプ）の『親日派のための弁明』（＊4）は韓国では黙殺されましたが、2019年は、李栄薫教授らの『反日種族主義』がついにベストセラーになりました。

姜　金さんの『反日という甘えを断て！』はもう20年前の先駆者的本で、「親日派」を肯定することには感服しました。やはり、本当に意義深い本でした。

金　恐れ入ります。やはり私の持論は変わらないです。「親日派清算」や「打倒」はナンセンスですね。

姜　なるほど。内部消耗戦ですからね。親日派を肯定的に見る発想は、なかなか勇気や胆力がいります。「金文学は李完用（イワンヨン）（＊5）よりも悪質的売国

＊4
金完燮『親日派のための弁明』荒木和博・荒木信子（訳）、草思社、2002年

＊5　李完用
1958?〜1926年。李氏王朝末期から日本による植民地統治期にかけての政治家。日露戦争を機に親日の立場をとり、日韓条約に調印。1907年、伊藤博文の支援を得て、首相に就任。日本の朝鮮併合に協力した。韓国・北朝鮮では、親日派、売国奴の代名詞。

奴だ」と罵倒する朝鮮族もいました（笑）。

金　（笑）。それは光栄です！

姜　しかし、こんなに罵倒されても、なぜ金さんは反論しなかったのですか？

金　黄金とクソも分別できない人に、反論する意味がありますか？

姜　確かに。私を「売国奴」だと罵倒する同胞がいますが、私も彼らを無視しています。

まともに読書もしないし、国際的視野を少しももたない彼らに喧嘩を売っても、何の価値もないから（笑）。

金　罵倒する人がいるということは、姜理事長がそれほど大きな業績を積み上げたからでしょう。反対者は、成功者をもちあげるもう一つの存在だと思います（笑）。

姜　なるほど。それは面白いですね！

まぁ、「親日」を見る視点も、正面と反面から眺めることは、平凡ではない、大切な視点です。なぜなら、韓国では「親日派打倒」という言葉自体があらわすように、親日をほとんど否定的に見ているのですから。

いまも「親日派」イコール「売国奴」ですね。

親日の「善」と「悪」

金　それが問題です！　日本と協力、妥協あるいは適応したものは、すべて「親日」で、親日は絶対悪いという見方こそ問題です。

姜　独立運動者と実際日本統治にそのまま適応しながら生きたものの比率を見ると、後者がはるかに多いです。

みなが日本に反対して独立闘士になったということはありません。その大多数の民衆をどう見るかも大きな問題ですね。

金　世界的視野で当時の植民地支配の事実を見るとき、地球の80％がイギリスや西欧の植民地支配下にありました。このような植民地支配には、どこでも現地の協力者が必要でした。

姜　大多数の庶民は、仕方なく帝国主義支配に順応しながら暮らしましたが、これ自体も協力といえます。無抵抗も消極的協力といえるし。

金　協力者の中には、個人の利益のために協力した者もいましたが、外国の先進的文明を利用して、祖国の近代化を実現しようとしたエリートも多かったです。

姜　植民地主義は、本質的に「文明と野蛮」という構図を利用して、後進国や弱小国に入って現地を開発したのですが、先進国のパワーを逆利用したとしても悪いことではありません。

金　おっしゃる通りです。祖国の近代化をいち早く完成しようとした焦燥（しょうそう）感から、植民地主義の近代性に魅了されたのは、あまりにも当然です。

植民地主義者を利用しようとする思考様式があったのは事実です。遡（さかのぼ）って、今の視点で善悪を単純に決めつけることは無理ですね。

姜　当時の状況では「善」といえますね。いまの目線で見ると「悪」になるのですが、やはり独立運動家は絶対的善で、親日は絶対的悪という見方が絶対的ですよね！

金　私はこんな善悪観を超えて、歴史事象を見る目が必要だと思います。

「親日」はただの親日であった

姜　中国では親日派をどう見ていますか？
日中戦争を「抗日戦争」と呼んでいますが、満州国（＊6）支配があったものだから、親日協力者も当然存在したでしょう。今も「親日派剔抉（てっけつ）」をするのでしょうか？

金　日中戦争当時、「漢奸（ハンジェン）」と呼ばれた親日派売国奴を、国民政府は法的に処断しました。当時、汪兆銘（ワンヂャオミン）を主とした親日南京政府の中のリーダー、軍人、知識人を剔抉したのです。
しかし、現在は韓国のように親日派を強調しません。むしろ、汪兆銘を

＊6　満州国
1931年、柳条湖で南満州鉄道の線路が爆破された事件を発端とした、日本・関東軍による中国・東北地方への侵略行為（満州事変）の結果、日本が東北三省・熱河省に建国した傀儡国家。1932年3月、清朝の最後の皇帝・溥儀を執政として樹立。1934年、溥儀の皇帝即位に伴い帝政となった。1945年、日本敗戦とともに消滅した。

愛国者として再評価すべきだと主張する知識人もいるのです。

姜　あ、そうなんですか？　韓国では「親日」といえば、「親中」「親米」とは別の次元で論じられます。「親日」は政治的次元のことで、政治的に利用されています。

金　私見では、親日はあくまでも「民族」を基準とした概念ですから、感情的憤怒が込められています。理性よりも感性、情緒的要素が多いということです。親日協力者の中にも、多様な目的と立場が存在しました。親日と反日を単純な対立構造としか見ないのが問題です。

姜　植民地統治社会に対する単純な認識を越えて、より多様に見ることができれば、親日派に対する認識も変わるでしょう。

　植民地支配者を憎みながらも、学ばないといけない被支配者の生活を、さまざまな次元で再証明する必要があると思います。

金　ですから、その多様性、複合性を無視して、単純に親日をすべて悪として、売国奴として断罪するのには限界があります。植民地終焉後、親日派を清算できなかった決定的理由は、社会的に、数的に、権威的に、親日派と呼ばれた者たちが優位を占めていたからです。

姜 それは、親日派がそれくらい多くて影響力が大きかったということですし、なおも「親日」の合理的客観性を意味するのでしょうね。もしも、当時親日派を全部剔抉してしまっていたら、この国を再建する人材がなくなっていたという通説も嘘ではないですね。

金 単純に「過」のみを見るのではなく、その「功」も見るべきです。そして、「親日はただの親日であった」事実をそのまま受け止めればよいと思います。民族や愛国という政治的視点のみでこれを断罪するのは、大きな「愚」です。

姜 親日よ、反日よという境界を超えて、より肯定的な方向で進む姿勢が大切だということですね。

親日・反日の境界を超えて

金 まず、親日・反日という設定、発想自体を超えなければなりません。

「親日」に限って言うならば、親日を肯定し、生産的に見ることが必要です。

姜　林鍾国（イムジョングック）さんの『実録・親日派』（＊7）という本の中では、金弘集（キムホンジプ）を「親日愛国者」として高く評価していますね。

日本の勢力を利用して「富国強兵」をねらったのが、それなりの政治哲学だということです。親日派の中にも売国奴ではなく、愛国者もいました。

金　その意味で李光洙（イグァンス）、李完用、李容九（イヨンク）など大物「親日派」も、改めて肯定的に評価すべきだと思います。言ってみれば、「親日派解放」ですね。李光洙が「私は朝鮮のために、親日をした」と叫んだ主張を、まともに反芻（はんすう）する必要があります。

姜　なるほど。いままで韓国では「親日派」を無条件に「悪」と決めつけた思考様式の一辺倒でした。

金さんのような知識人たちによって、本気でこんな思考を変えられたら幸いと思います。「親日派解放」は、結局、韓国近代史自体を修正することにつながりますね。

＊7　林鍾国『実録・親日派』図書出版トルペゲ、1991年

金　そうです。今、韓国の常識になっている近代史は、多くの部分が逆転し、覆(くつがえ)される可能性が大きいです。親日・反日や掠奪論・近代化という二分法の境界線がかすかなものになり、新しい歴史記述が誕生すべきです。それは新しい「歴史革命」になるでしょう。

姜　韓国人が、日本帝国主義をコンプレックスに思っているのは否定できません。「歴史革命」は大変すばらしいことになるでしょう。

最近ベストセラーになった『反日種族主義』は、金さんの本とともに、一種の「歴史革命」の本として高く評価すべきですね。

金　そうですね。全韓国民が読むべき「必読書」です！

姜　その通りです。目からウロコが落ちる感じでした。

第五章

「韓国病」の構造を解剖する

―― これらの構造的欠陥をなおしてほしい

なぜ、韓国では「民族」が過剰なのか？

金　「韓国病」の構造の中で最も大きな比重を占めるのは、どうしても「民族」というものですね。韓国人の体質には、過去、現在、そして明日にも、すべて「民族」「民族主義」のラベルが貼られています。しかも、「民族」の談論はいつも情緒、熱狂に近い感情に左右されることが多いといえます。

姜　そうです！

「民族心」「愛国心」のような言葉と同じく、韓国ではそれは一種の「宗教」のようなものです。ことに、単一民族主義と自負する韓国人にとって、「民族」は聖なるもの、「神聖不可侵」の代名詞といえます。「半万年（5000年）の歴史」を誇る長い歴史の中で形成された、固い固定観念ともいえます。

金　半万年、5000年と云々する「民族」ですが、実際のところ「民族」とはNationの訳語で、韓国に輸入されてから100年少々しか経ってないです。それも日本語を通して韓国に入ったのですが、ヘンリー・H・エムは、「日本の明治時代の新造語である『民族』が韓国で使用されたのは1890年代以降のことだ」と指摘しています。

姜　すると、「民族」や「民族主義」の概念は、やはり最近100年の間のことで、朝鮮の前近代やそれ以前には「民族」意識がなかったということでしょうね。

金　はい。申采浩（シンチェホ）の『読史新論』というのが、1908年に脱稿するのですが、韓国の歴史を民族の歴史として書いた最初の書物です。もし、同質的共同体としての「民族」がすでに存在したならば、申があえてこの本を書く必要はなかったでしょう。そして、読者もこの本にそれほど熱狂しなかったと思います。

姜　なるほど。「民族」「民族主義」という言葉や概念も、やはり伝統的に固有のものではなく、開化期韓国の国難克服の過程において、外敵と対峙(たいじ)した状況で生まれたということでしょうね。

金　開化期から日本植民地時代、そして光復(こうふく)後、分断政権成立後、南北問わずに「民族」「民族主義」を上から民に強制しました。

姜　そうですね！

　韓国でも教育の中で、民族、民族主義を賛美する理念が多かったです。教科書から李舜臣(イスンシン)、柳寛順(ユグァンスン)、安重根(アンジュングン)など、民族の英雄的人物を学びながら、民族愛、民族自負心を育てたのは事実です。

韓国小説は文学か？　民族の物語なのか？

金　韓国の民族づくりに動員されたのが、小説ジャンルです。ベネディクト・アンダーソンは、「新聞と近代小説を一定の地平線の中で社会的風景を固定しながら、同時的時間間隔を提供する事で、共同体への帰属感を与える役割を果たした」と指摘しました。

私から見ると、韓国の近代小説、文学は、韓国の民族ストーリーに帰属させようとする傾向が強かったように思います。

姜　なるほど。すると、小説とは文学芸術における芸術ではなく、これと乖離（かいり）した民族談論へと流れたということですね？

私も同感です。多くの韓国の小説素材は「民族」という主題と密接に関係があるし、またそのようなテーマの小説が大衆の中でベストセラーとして愛読されてきました。

金　日本文学と比較してみると、一目瞭然です。例えば、日韓両国で近代文学の巨匠と呼ばれる夏目漱石と李光洙（イグァンス）の小説を比較すると、漱石の『こころ』などは人間の本能、欲望など、人類の普遍的主題を扱っています。しかし、李光洙の『無情』（＊1）などの小説は民族談論と直結していて、民族を啓蒙（けいもう）する意識があまりにも濃厚です。

今の韓国小説もこの流れを受けて、民族物語から脱皮していません。

姜　その通りです。李榮薫（イヨンフン）教授も指摘していますが、現代の韓国の人気作家、趙廷来（チョジョンネ）は大河小説『アリラン』（＊2）が大ヒットしていますが、その理由は反日民族主義を文学的に巧みに表現したからですね。

金辰明（キムジンミョン）の『ムクゲノ花ガ咲キマシタ』という小説も、2000年代に大ベストセラーになりましたが、それも反日、勝日という民族主義の膨張ですね（笑）！

しかし、日本の川端康成や大江健三郎なども、日本的美意識と人間の本能、人間性も書いています。

金　姜理事長は文学にも精通していますね！

おっしゃる通り、もっと人間の普遍的なものを書かない限り、韓国文学が世界的に認められるのは難しいと思います。

＊1
李光洙『無情』（『毎日申報』〈朝鮮総督府機関誌〉、1917年）

＊2
趙廷來『アリラン』（全12巻）、ヘネム、1994〜1995年

韓国文学の幼稚性

姜　金辰明の『ムクゲノ花ガ咲キマシタ』や韓国の「民族的」小説は、大衆小説としては面白いかもしれませんが、あまりにも「民族」的優越感に溢(あふ)れて、自らナンセンスに陥(おちい)ってしまう危険性が十分あります。

金　大衆小説は、それでよしとしましょう。ところが、韓国の現代文学の巨匠と呼ばれる趙廷来の『太白山脈』（＊3）のような小説は、民族の歴史記述か、それとも小説かはっきり分からない（笑）。

姜　そうですね（笑）。

＊3　趙廷來『太白山脈』（全10巻）、ホーム社、1999～2000年

韓国の人たちは「韓国の過ちを知るためには『太白山脈』を読むべきだ」とまで言っているから、歴史として見ていると言っても過言ではないです。

金　私は近年、韓国現代文学作品を広く読んできました。しかし、黄皙英（ファンソックヨン）も趙廷来も高銀（コウン）の詩も、ほとんど民族や民族談論から脱皮していないことを発見しました。申東曄（シンドンヨップ）も同じです。

「民族」から脱皮してこそ韓国文学は生き残るし、世界から認められると思います。いまだに韓国文学史で優遇されるのは、何といっても民族作家、民族詩人など、「民族」が付いたものばかりです。こんなケースは日本では類例がないです（笑）。

姜　「民族」が文学の中心にあるのは、韓国の欠陥でもありますね？

しかし、それは韓国が植民地支配下におかれた悲しい体験から由来するのではないでしょうか？　国が亡び土地を奪われたからこそ、「民族」が格別に強調されるのではないかと思います。

金　それは否定できないですが、やはり世界的に見て、韓国文学はあまりにも田舎臭いです。民族歴史学の仕事を文学が自発的にやるから、さすがに問題ですね。

姜　日本にも、歴史を文学として扱った民族物語的作家がいます。司馬遼太郎の歴史小説がそうじゃないですか（笑）？

金　「国民的作家」と呼ばれる司馬の場合、彼は「司馬史観」（＊4）というはっきりした歴史観をもっています。もちろん、小説の中には帝国主義や戦争を肯定するものもありますが、「歴史小説」というジャンルで国民作家として敬愛されているのです。

しかし韓国の作家は、司馬のような「歴史観」を形成せずに、「民族」ばかり謳（うた）うための素材として歴史を利用している感じです。

姜　確かに、司馬の『坂の上の雲』（＊5）はドラマにもなって、面白い作品です。

しかし、日清戦争（＊6）を中心としたこの小説は、やはり日本帝国主義の戦争をある程度美化したとの指摘からは逃れにくいですね。

＊4　司馬史観
小説家、司馬遼太郎の作品にみられる歴史観のこと。映画化やドラマ化された作品も多いため、日本人の歴史観に大きな影響を与えている。一般的には、①大局的な歴史のとらえ方、②合理主義的な人物や考え方を重視、③幕末～明治期を高く評価する一方で、日露戦争後～昭和初期の評価は低い、などとされる。

＊5
司馬遼太郎『坂の上の雲』（全6巻）文藝春秋、1969～1972年

「ウリ」(われわれ)という名の精神的監獄

金　数年前のことですが、中国人のある知識人が私にこう聞きました。「韓国人はいつも『ウリ、ウリ』と言いますが、その『ウリ』とは何の意味か?」と(笑)。

姜　(笑)。「ウリ」なしでは生きることのできない民族ですからね。「ウリ」(우리)という言葉は「울」(囲い、垣根)が起源という説もありますが、すべての人々を「ウリ」に閉じこめたら「ウリ」(われわれ)になるからね!

金　なるほど。韓国では、民族はつまり「ウリ」だということです。そして、「ウリ」はつねに「ナム」(他人)とたやすく区分して認識されます。

姜　(笑)。「ウリ」はすべて優秀で「ナム」はすべてだめだ、非道徳的だという対立的論理が成立するわけです。だから、個人的にはあまり優れていなくても、「ウリ」に属しているだけで、ある種の優越感と道徳的優位のようなものが与えられるということ。

＊6　日清戦争
朝鮮半島の支配権をめぐって日本と清国が行った戦争(1894〜1895年)。朝鮮で起こった甲午農民戦争を機に両国が出兵し、日本が清国軍艦を攻撃したことで開戦した。日本は各地で勝利を収め、下関条約により、遼東半島(後に三国干渉で返還)や台湾、澎湖列島の割譲などを得た。

まぁ、「俺様がやれば同じ不倫でもロマンスだが、他人がやれば不倫は不道徳だ」ということですね(笑)。

金　そうですね。「ウリ」という民族主義は、実際「ウリ」を精神的に幽閉する監獄だと言うべきです！　「ウリ」と「ナム」で分類し、「ナム」は敵対者、非正義、非道徳者としてみなし、「ウリ」のみを絶対的に優越化して「ナム」との本当の協力を遮断してしまう。

姜　韓国の教科書でも、外国の侵略を1000回ほど受けたから、「ナム」の侵略に対しては無条件に最悪という道徳的評価を下します。しか

し、「ウリ」の同じ行為については一言ではぐらかしてしまう癖があります。

日本の戦争、植民地支配、虐殺については大いに強調しますが、自分たちがベトナムで、1970年代に良民を虐殺した事実についてはあまり言及しません。

金 そうです！「ウリ」を美化する面では、韓国もやはり全体主義社会の中国と大差がないようです。中国の教科書でも、常に日本、米国帝国主義の侵略（朝鮮戦争）については大きく強調して、北朝鮮の南侵や中国人民志願軍（＊7）のことは美化し、正当化してしまいます。

姜 同感です！あまりにも容易に「ウリ」を美化し、「ナム」、つまり他者を蔑視（べっし）します。

はなはだしく「ウリ」の国土、言葉、美風良俗のすべては美しいし、道徳的で正義としますが、「ナム」はこの道徳的普遍性から外してしまいます（笑）。

金 おっしゃる通りです！

＊7 中国人民志願軍
朝鮮戦争の際に、アメリカを中心とする国連軍との戦いのため、中国が派遣した軍隊の名称。北進を続ける国連軍を撃破し、戦況を大きく変えた。

「ニム」（様）の社会、「ノム」（野郎）の社会

姜　「ウリ」と「ナム」のように、すべてを黒白二分法で差別する思考様式が韓国人の頭の中にあるのは事実です。

ウリのものはみな良くて可愛くて……。単一民族ですから、「ウリ」と違う者は認めようとしない、耐えられない。肌の色が少し違っても差別に至りますから。

金　自分より有力で、高貴な者は「ニム」として尊敬し、下流の労働者や外国人（中東から来た人など）は「ノム」として蔑視します。

「ニム」と「ノム」が峻別（しゅんべつ）される社会です（笑）。

姜　（笑）。「ニム」の社会と「ナム」の社会。

確かにそうですね！　聞いた話によると、数年前、日本人のタレントが韓国で二年間の興行ビザを取るのにエイズ検査まで強要されたそうですね。逆に、日本で活動する韓国人タレントは、このような強要はされずに就労ビザを得ています。

金　なるほど。日本で帰化するときは、極めて簡単な手続きですが、韓国では帰化テストを受ける際、金素月の詩「山有花」を誰が書いた詩かという問題も出たらしいです。韓国文学専攻者ではない外国人には難しいテストですね（笑）！

だから、外国の知識人に言わせれば、「貧乏で知識のない者は韓国人になれない」ということです。

姜　そればかりではありません！　国内でも慶尚道、全羅道（＊8）云々しながら、地域差別はすさまじいです。国内の差別もこうだから、外国人差別はいうまでもないですね。

金　在日同胞の中でも「差別」は存在するのでしょうか？

姜　ありますね。例えば私事で恐縮ですが、私が山口から広島に来たよそ

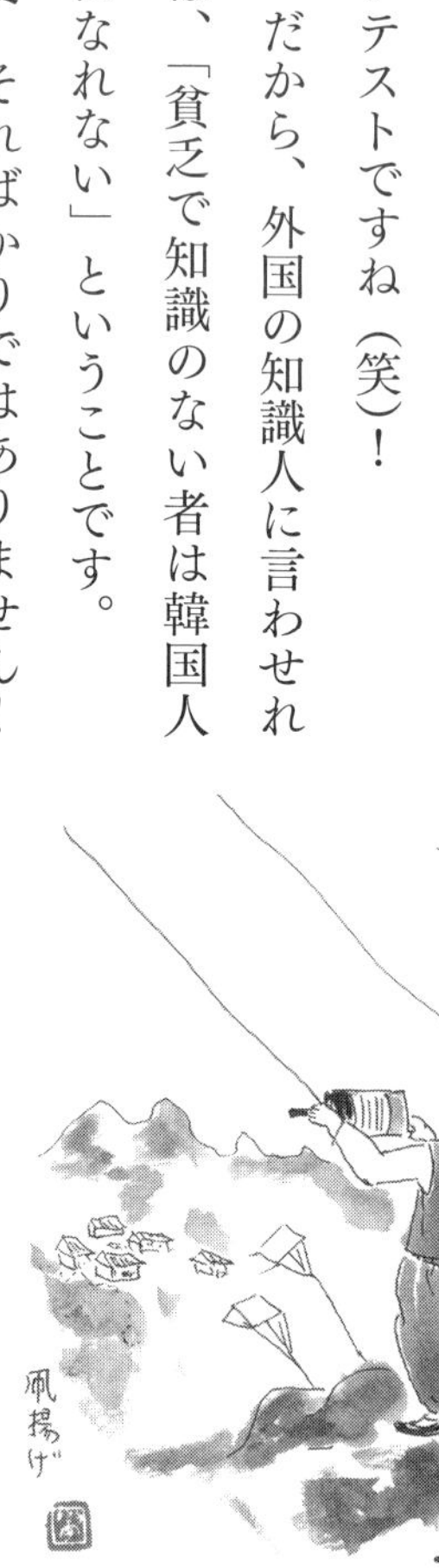

＊8　慶尚道、全羅道
それぞれ、李氏朝鮮時代に置かれた八道（八つの行政区分）の一つ。慶尚道は南東部一帯の地域。全羅道は南西部一帯の地域。韓国では出身地域による対立があるが、慶尚道と全羅道の対立は最もよく知られている。

者だから、民団などの組織では嫌な存在として見たり、差別したりする者がいました。まぁ、あまり話したくないけど（笑）。

金　なるほど。中国の朝鮮族の中でも、延辺（エンペン）朝鮮族自治州（＊9）と他の地域の差別意識が存在しますから。

韓国は言うまでもないでしょう。差別を逆利用して発展のエナジーにすればいいと思います。

姜　それはいいアイデアですね！

「韓国が悲しい」

金　韓国を真の民族主義とはっきり判断するには、難しい事象が多すぎます。その民族主義という表皮を一つずつ剥（は）げば、国粋主義、絶対的国家主義という本質が見えると私は思います。

姜　そうですね！　民族主義問題が最も複雑な国が韓国です。「国家＝民族」という等式が簡単に成立しないのが韓国ですから。

＊9　延辺朝鮮族自治州　中国吉林省南東部にある朝鮮族の自治州。主都は延吉。全人口の約4割が朝鮮人で、北朝鮮との国境に位置するため、歴史的に朝鮮からの流入・移住が多かった。中国内で最大の朝鮮族自治区。

例えば、先ほどの「ニムの社会、ノムの社会」だとか、韓国に滞在する外国人労働者に対する蔑視と差別、特に朝鮮族同胞に対する冷遇、蔑視がひどいです。

これについて、金さんは朝鮮知識人として関係が深いので、お話をお願いしたいです。『韓国民に告ぐ!』の中で朝鮮族差別についても言及されていますね。

金　ええ。韓国人が日本人を糾弾するとき、「日本人は在日韓国人や外国人に対する差別がひどい」というのをキャッチフレーズのように使用しています。しかし、日本を非難するよりも自国の実態を反省すべきです。表裏で展開する韓国人と朝鮮族の葛藤を、21世紀の「民族戦争」と表現する人もいます。

姜　なるほど。

労働現場で「中国の犬」「中国の乞食」と、朝鮮族を侮辱(ぶじょく)する韓国人雇用主もいれば、朝鮮族女性を性的玩具として蹂躙(じゅうりん)した末、不法滞在者として申告すると威嚇(いかく)し、自身の悪行を正当化しようとする厚顔無恥(こうがんむち)な男子も多いと聞きました。

金 はい。ソウルには以前、「反朝鮮族連合会」という組織まで存在したといいます。1998年3月、韓国人の差別に耐えられなかった朝鮮族の金成仁（キムソンイン）さん（当時48歳）が、京畿道（キョンギド）（＊10）で工場の壁に「韓国が悲しい」と遺書を残して自殺したことはあまりにも悲しいことです。

姜 こんな不祥事があまりにも多く、枚挙（まいきょ）に暇（いとま）がないですね！

数年前、韓国の連合ニュースは、外国人労働者の55・1％が給料未払い、30％の人が工場や会社で韓国人の暴行を受けたという調査結果を報道しました。

金 東南アジアの労働者の話ですが、韓国で最初に学ぶ言葉が「テリジマセヨウ」（殴らないでください）ということです。

姜 しかし、韓国には差別される外国人労働者を助ける団体や組織もあるのではないでしょうか？ 民間の市民団体が活動していると聞きました。

金 はい。朝鮮族を助ける団体もできているし、朝鮮族に対する韓国人の認識もだいぶ改善されたのです。でも、政策的にもっと助ける方法が必要

＊10 **京畿道**
現在は、韓国の北西部に位置する行政区をさす。朝鮮八道の一つである京畿道は、古代から首都がおかれるなど重要な地域だったが、第二次世界大戦終結時およびその後の朝鮮戦争で、南北に分断された。

だと思います。

「ウリ」から排除された朝鮮族同胞

姜　海外同胞に対する「在外同胞法」（＊11）という法案が出ましたね？ところが「在外同胞法」に関する法律を見ると、韓国は単一民族、血統の純粋性に執着するけれども、この法律には適応してないと思います。興味深いことに、自ら血統主義を否定しました。

金　そうです。韓国人の80％が海外同胞を同一民族として認識しているにもかかわらず、200万人の中国朝鮮族同胞と50万人の旧ソ連の同胞は、法的に「同胞」から排除されました。反対に、米国の同胞を中心とした先進国に居住する同胞に限っては、新しい「在外同胞法」の実利を享受できるようになりました。

姜　差別は、新差別を再生産するということですね！

金　国籍と経済力を基準とした、二重の差別です。多くの市民団体の反対

＊11　**在外同胞法**
「在外同胞の出入国と法的地位に関する法律」。韓国で、1999年に公布・施行された。外国に居住する韓国人（同胞）の身分を規定するとともに、その出入国と母国（韓国）での滞留や経済活動を緩和する目的で制定された。

があったのですが、政府はむやみに推進しました。

姜　まぁ、韓国人には、自分たちの職を外国人の同胞に奪われるという恐怖心があったのですね。政府はこれを利用したのです。

金　もちろん、中国の同胞は、中国政府との関係を考慮した面もあると思いますが、やはり国粋主義、国家主義という叱咤から逃れにくいですね！

姜　結局、同じ血脈とした中国の同胞を「ウリ」から脱落させました。しかも、「不法滞留者」というラベルまで貼って。

金　不法滞留者だとしても、人権、自尊心まで「不法化」するのはひどいですね。

姜　韓国の経済は、このような外国人労働者によって支えられているという事実は無視してはいけないのです！

韓国の1984

金　最近、ジョージ・オーウェルの『1984年』を再読しています。『動物農場』もそうですが、彼が全体主義を志向するすべての権力を痛烈に批判、諷刺しているのは現在も有効だと思います。

　彼は資本主義、帝国主義、共産主義の権力体制を否定した、自由人のシンボル的人物といえます。私は、韓国は厳格な意味で、いまだ『1984年』で止まっていると思います。公権力による監視体系や個人と家族の人権と自由を無視する姿は、やはり現在もありますから。

姜　興味深い指摘です。私も韓国人は自由主義よりは、全体主

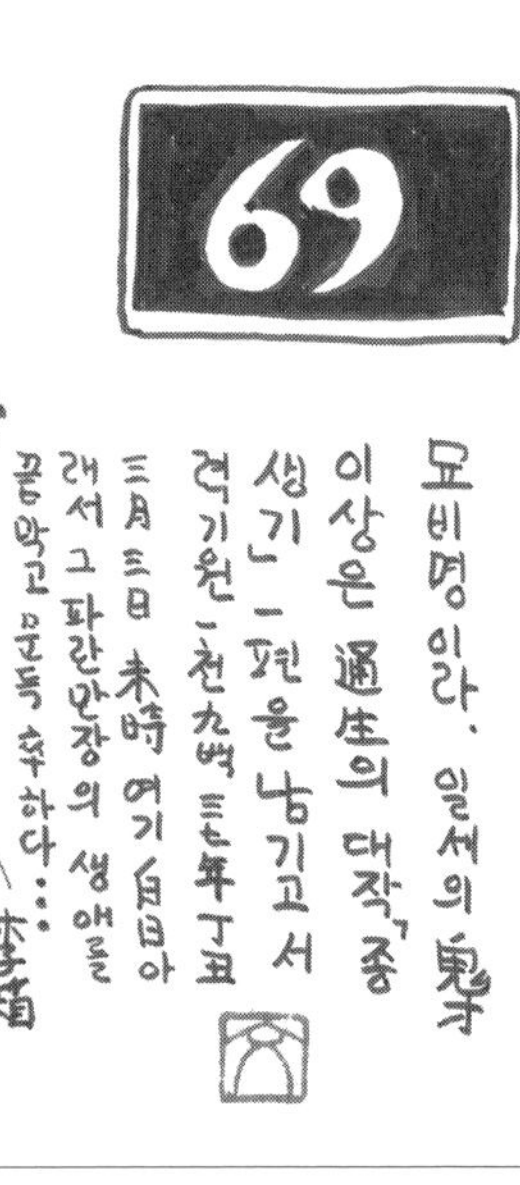

義に最も適した民族ではないかと思います。「ウリ、ウリ」という形で無意識に全体主義へ向かう可能性が極めて高いですから。

金　韓国の中の中国人労働者や留学生たちは、韓国は中国よりも社会主義だとよく言います（笑）。あまりにも平均主義的で、他人の行動を過度に監視する、あるいは意識する癖、全体的集団意識……。まぁ、こういった部分で中国よりも全体主義的、共産主義的発想が多いとのことです。

姜　いまの文在寅（ムンジェイン）政権の話ですが、今回のコロナウィルスの拡大を受けて、文大統領は自分に批判的な教会を弾圧したと言われています。3月20日の日曜日には、ソウル市の職員や警察官200人がサランチェイル（愛第一）教会に出動する大騒動が起こっていますね。この教会は、文大統領弾劾集会を続けている、鄭光勲（チョングァンフン）氏が担任牧師を務めているようです。

フリージャーナリストの金敬哲（キムキョンチョル）さんによると、「礼拝を止めるため教会へ突入しようとした警察と信者の間でトラブルが起こり、信者に怪我人が出た」（＊12）ということですね。

金　韓国では、日曜日に信者たちが教会へ礼拝に行かないことは「罪」に

＊12　月刊『文芸春秋』2020年5月号

なりますからね……。南韓も全体主義的要素が多いということです。

排他主義が国を亡ぼす

金　「韓国人は『ウリ』という内的集団と、『ウリ』ではない外的集団に対する態度が、あまりにも異なる」と指摘する外国人識者もいます。

私は韓国に滞留する度に、この指摘を実感しています。私の知り合いの中国人が、「韓国では、見知らぬ人は全部敵のように扱う」と言って笑いました。

姜　そうですね！　知人にはとても親切ですが、他人には全く不親切です。しかし、他人であっても、友人の友人であると知ると、即、友人になります（笑）。

金　「ウリ」の者には無条件に親切だし、受け入れてしまう思考様式ですね。

姜　日本で昔、「非人」と部落民を差別したように、現在韓国にある地域差別感情もやはり、日本と似ています。

特に、全羅道出身に対してはすさまじい差別をしています。これらの事情は、外国人はよく知らないと思います。日本には、「光州事件」(＊13)のような地域感情が生んだ悲しい事件はありません。

金　地域感情は、政府次元で使嗾(しそう)(けしかけること)した面もあるのではないでしょうか?

姜　朴正熙(パクチョンヒ)時代から全斗煥(チョンドゥファン)政権を経て、地域感情が固定化し、拡散されました。政府すら特定の地域を差別する国は、おそらく世界の近代史でも類を見ないでしょう。

韓国では、同じ地方出身ではない相手に対しては、まずは警戒感、もしくは敵対感のようなものをもちやすい。だから、外国から来た労働者に対しては「人でなし」ですね。

金　西洋コンプレックスの大きい韓国人たちは、西洋の白人からも排他的だという指摘を受けます。

姜　そうですね！　韓国人は強い民族の前ではこびへつらうが、弱い民族

＊13　光州事件
1980年5月、全羅南道光州市を中心に、軍による戒厳令解除と反政府・民主化要求を求めて始まった学生・市民による大規模なデモを、全斗煥を中心とする軍が武力で弾圧し、多数の死傷者を出した事件。1979年12月に軍事クーデターで権力を掌握した全斗煥らは、1980年5月17日に戒厳令を全国拡大し、金大中など全羅道出身の政治家などを逮捕した。これに反発した学生・市民らは「市民軍」を組織。戒厳軍と武装闘争を展開し、5月27日に制圧されるまで続いた。

には傲慢だとよく言われる。韓国人は日本人がそうだと非難するのですが、むしろアジアやアフリカ世界の国民は、韓国人がそうだと非難するのではないでしょうか？

アメリカのロサンゼルスで黒人の暴動が起こったことも、韓国人の黒人差別から端を発したのですね。「コンドンイ」（黒いやろう）は動物でもないということです！

金　排他主義は、この閉鎖性によって国を亡ぼす病弊にもなりかねないです。

姜　その通りです！

韓国の常識は世界の非常識

金　2002年、ワールドカップの頃の現象ですが、韓国人の応援の仕方は、極めて露骨な「ウリだけを応援する」ことでした。全国民が「大韓民国！」「必勝コリア！」と、熱狂的に自国チームのみを応援する姿は、韓国では「愛国」として高く評価されます。

姜 そうですね。左も右も、若者の愛国・熱情と云々しながら騒いでいました。韓国人はこれを当然のことだと認識しています。だから、海外ではどう見られるかについては無頓着です。

金 韓国では当然のような常識であっても、世界的視野では怪しい非常識です。

姜 「ウリ」だけ強調され、「ウリ」が絶対化されたこの国では、他者の目線の存在も認めないとだめですね！

しかし、韓国人は、他の民族と一緒に暮らした経験がないため、他者という目線をいつも忘れがちです。中国やアメリカのように、数十の民族やマイノリティーと一緒に暮らしていれば、他人を配慮する視線がありますが……。

金 はい。「ウリ」が一丸となると、一つのナショナリズムの塊になってしまう。しかも、上からの愛国主義、民族主義教育、洗脳が加味されて、「ナム」（他者）に対する差別、人種差別にまで発展してしまいます。

姜 なるほど。韓国ではチャイナタウンが生き残れなかったですね。世界中どこに行っても刀一本で成功する華人が、唯一成功できなかったのが韓国ですから。

元来、山東や台湾から来た華僑（かきょう）が55万人以上いましたが、現在は5万人しか残っていないと聞きました。華人に対する差別がひどかったので、韓国から脱出してしまいました。

金　同じ血筋である朝鮮族同胞への蔑視がひどいですから、中国人への差別は言うまでもないでしょう。

「ウリ」以外の他者への排他主義は、韓国人の大きな欠陥です。

姜　やはり、韓国は世界の辺境と言わざるをえないです。だから世界の辺境から脱皮する道は、外国人、異邦人と平等に暮らすことができるようになることです。

鎖国のドアを開け！

金　私は、韓国人は今日まで鎖国をしていると思います。もちろん、

1988年のオリンピック以来、観光の自由やアジア大会、ワールドカップの開催などを通して世界へ向かって開放したと誇れますが、言ってみれば、精神的鎖国は依然として進行中だと見ています。なぜなら、「ウリ主義」を叫びながら、「われわれ」を固守する民族は、地球上でそれほどないからです。

姜　なるほど。朝鮮半島は、朝鮮王朝中期以降は完全にわれわれ同士で暮らし、鎖国政策を実施した伝統があるから、あまりに開放的な大陸性や海洋性が朝鮮に入ると、みな死んでしまう。国を外来民族に奪われたのも、やはり

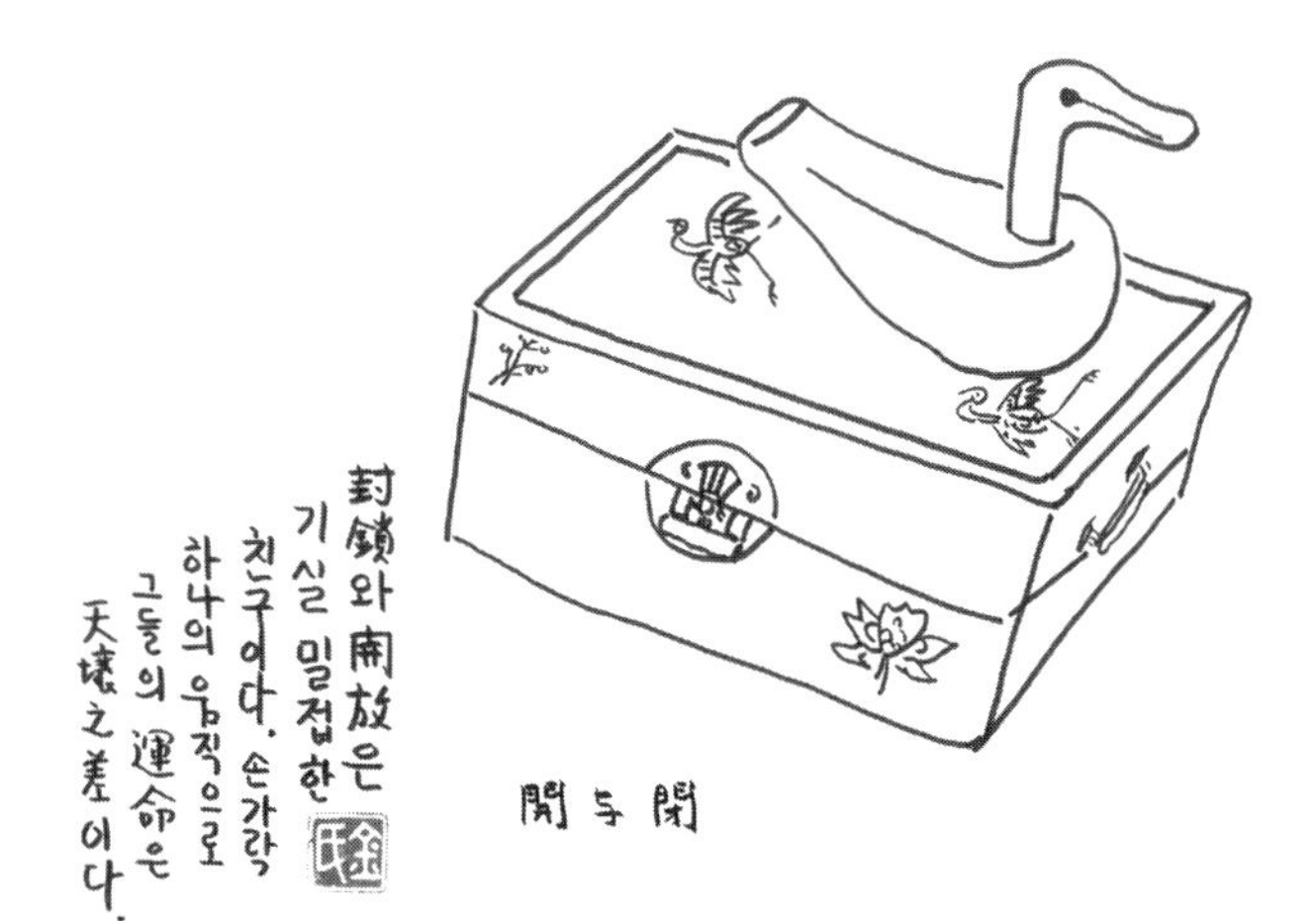

「ウリ」だけに固執したあげく、腐敗して国を経営する力をなくしたからでしょう。

19世紀末期、機会はあったけれど、閉鎖的体質の中で自らを救済できなかった悲しい民族でした。

金　中国もやはり、中華思想の病弊によって鎖国を固守し、西欧の列強にやられます。現在本当にもどかしいのは、北朝鮮の鎖国ですね。南北韓は、互いに狭い門を開ける時代が来るべきです。

韓国には「統一屋」が無数に多いし、寝てもさめても「統一」を謳うのは異常ですが。しかしそれよりも、もっと不可思議なことは、数十年の間南北が「統一」を叫びながら、実質的な準備は着実にはやっていないことです！

姜　しかも、お互いに心をオープンにして対話をするのではなく、いつも体制批判や非難で終わってしまいますね。

金　だから、アメリカが南北韓に何を言ったかというと、「ねだることしか知らない赤ん坊」だと嘲笑しています(笑)。互いに相手を包容できない。

この異質な両国の排他性のせいです。

姜 南北の連邦統一がたやすく実現できないのも、その「排他性」が最大の理由です。

口腔(こうくう)的愛国主義者

金 近頃私は、韓国人が愛国主義を叫ぶ本質について深く考えています。「排他的」愛国主義は、韓国人を理解する良いテーマだと思いました。私は韓国人の声高に叫ばれる愛国、ナショナリズムを「口腔的愛国主義」と定義したいです。

姜 フロイトが精神分析学で用いた、「口唇(こうしん)加虐的」用語からでしょうか？

金 はい。韓国人は、朝鮮時代から不安な暮らしをしてきたのです。外来の侵略と植民地支配の悲運、戦争と分断……。このような歴史的体験を通して、温和で悠長な性格が、不安を解消するため、せっかちで、感情的で、大きな声で常に自分を表現せざるをえない性格に変わってしまいました。

姜　近代の西洋人の学者や観察家たちがフィールドワークをして整理した本を読んでも、そこには情緒的に不安定である韓国人の描写がよく出てきますね。

この世で最も怠け者で、悠長であるように見えながらも、瞬時に驚くほど勤勉になると記述しています。

金　なるほど。西洋人の韓国人論はもちろん、西洋的オリエンタリズムの偏見も見られるのですが、やはり真実を書いていると思います。「口唇加虐的」というのは、口を通して快楽を感じ、大変攻撃的に変身しやすいとのことです。確かに韓国人は感情の起伏が激しいし、よく口喧嘩をし、相手をよく責めます。

姜　たとえ同じ境遇であっても、日本人は感情的発散を極力抑え、なるべく相手の話を聞く。つまり、聞く耳をもっていますが、韓国人は反対に感情を発散するのを美徳とし、しかも自分の話ばかりして、相手の話はあまり聞こうとしない。つまり、聞く耳をもっていない（笑）。

金　（笑）。理事長もご指摘されてましたが、韓国語には、「話し上手」という言葉はありますが、「聞き上手」という言葉はないですよね。

姜　韓国人は自己主張をするから堂々と見えるし、日本人は自己主張をあまりしないから、何だか縮んだように自信がないように見えます。

一対一の喧嘩では、韓国人が絶対強いですね（笑）！

金　それは言えますね！

姜　愛国心もそうです。韓国人が強そうに見えるのは。

金　はい。確かに、愛国心の表現では韓国人ほど強い民族はないかも……。太極旗をバスの窓にも貼り、カラオケでは国歌を歌ったり。

姜　特に反日デモとかになると、すさまじい愛国の表現ですね！「口腔的愛国主義」は、東アジア随一ではないでしょうか？

強要される「愛国」

金　そうですね。しかし、私はそれが本当に真心から出る愛国心かどうか疑問をもっています。上からの洗脳や強制的要因が強いんじゃないかと思います。

姜　日本では「愛国」を叫ばないですね。戦後になると、「愛国」に対する反省から「愛国」「愛国心」という用語すら蛇蝎(だかつ)視しています。「愛国」を強要しない、成熟した社会だと思います。

金　韓国の幼稚な口腔的愛国主義は、「害国」につながる危険性があるかもしれないです。

姜　口でいくら愛国を叫んでも、アメリカに移民し、何の未練もなく大韓民国に背を向けて、アメリカ市民になるから（笑）。

金　なるほど。日本人は日頃「愛国」を口にしませんが、外国で暮らす人も少ないし、外国国籍に帰化する人も少ないです。この意味で、韓国の口腔的愛国主義は反省しなければならないですね。

姜　「愛国」と叫ぶ人間ほど、「愛国」しないかもしれないですね（笑）。本当の愛国者は、わざわざ愛国を声高に叫ばないから。

金　「愛国」とは、必ずしも強要するものではないです。必ず「愛国」することが良い人間とは限らない。愛国も自由であれば、不愛国も一種の自由です。国民が国家を選ぶこともできるし、国家も国民を愛する「愛民」でなければならないです。

一方的に国民の利益を犠牲にしながら「愛国」を強要するのは、怪しいです。

姜　良い話ですね。アルベルト・アインシュタインは、「人間は国家のために存在しているのではない。むしろ国家が人間のために存在するのだ」と言いました。

かつて、日本は植民地支配の犠牲（いけにえ）の羊として国民を戦場へ追い立て、「愛国」という名で大きな挫折を受けた、痛い体験をもってい

ます。

日本の「愛国」を批判する韓国も、やはり自分自身の「愛国」を冷静に省察する必要があるのです。

金 おっしゃる通りです！ そして、「愛国」を利用する政治ペテン師は、「愛国逆賊」といえます（笑）。

姜 え～!? 売国奴ではなく「愛国逆賊」という用語もあります？

金 「愛国逆賊」は売国奴よりも、もっと隠蔽性があり悪辣です。

姜 なるほど。「愛国」を叫びすぎて「害国」になりかねないですから。気をつけないと（笑）。

なぜ、個人主義はないのか

金 韓国人は個性が強くて、自己主張も強いと言われますが、近代的意味での個人主義はほとんどないと思います。

姜 民族主義と国家主義が跋扈する社会では、個人主義は生まれにくいですね。韓国では誰かが「民族主義、国家主義をやめて個人主義でいこう」としたら、大事になるから（笑）。

金　私は、韓国人は「市民」ではなく「臣民」意識に支配されて、前近代主義的意識の習慣がいまだに多く残っていると思います。

姜　臣民意識？　面白い話ですね。

金　これには、三つの背景を指摘せざるをえないです。一つは朝鮮時代の中身ですが、朝鮮時代を近代的国民国家として錯覚する韓国人が多いです。しかし、これは見事な誤解です！　それは国民国家ではなく、李氏王朝（＊14）の特権階級の所有にすぎなかったということです。

ですから国民、市民ではなく「臣民」ということです。

姜　すると、それは中華帝国の属国でしたが……。

金　はい。実際、不幸にも中華帝国の属国であった朝鮮は、儒教的イデオロギーから制度、文物に至るまで、すべて大陸を模倣したのです。

国王もやはり、中華帝国皇帝の冊封（さくほう）を受けた「王」にすぎませんでした。

姜　なるほど。すると当時、朝鮮の住民は、朝鮮国王と中華帝国の二重臣

＊14　**李氏王朝**
朝鮮の最後の統一王朝。李朝。倭寇を倒して人望を集めた太祖李成桂が、1392年に高麗を滅ぼして建国した。首都は漢陽（漢城、現在のソウル）。儒教を国教化し、領土を朝鮮半島全域に広げて15世紀に最盛期を迎えた。その後、党争の激化や豊臣秀吉の侵略、清への服属、日露戦争後の日本保護国などを経て、1910年に日本に併合されて滅んだ。

民になったということですね。

日本が支配した植民地時代には、日本の「臣民」として生きました。日本帝国は彼らを「臣民」として強要したのではないでしょうか？

金 朝鮮王朝、中華帝国、日本植民地支配、これら三つの歴史背景を勘案すると、光復後の国民国家建設中、李承晩（イスンマン）、朴正熙（パクチョンヒ）時代や軍事政権時代、そして今日に至るまで、大韓民国の国民へと進化する間、「臣民」意識が強要されました。

姜 そのプロセスの中で膨張したのが民族主義、国家主義ですね。だから、個人主義は立ち入れる場所がなかったわけです。

17世紀、イギリスの産業革命からはじまった近代の市民革命、市民文化も韓国では欠如していました。

金 その通りです！ 不幸にも韓国は、近代革命で帝国主義や外来勢力の支配に抵抗したのですが、一回も戦って勝利したことはありません。フランスやイギリスのように王様の首を斬る市民革命は、韓国では成就しませんでした。

姜　なるほど。市民革命なしで近代に入ったということは、前近代的弊害が多く残留しているということですね？

　つまり、近代の進歩を阻害する欠陥が多数残っています。こんな話があるのではないでしょうか？　韓国では解放後、独裁政権の「チャルサラボジャ」（幸せに暮らせよ）というスローガンで、無条件にパリパリ（急いで）近代化を実現しようとする涙ぐましい努力をしました。しかし近代化した現実を見れば、前近代的要素がそのまま残存している……。

金 西欧や日本が数百年経て達成した近代化を、韓国では数十年で成し遂げたのですから。儒教の根強い欠陥や絶対的な権力を行使した歴代大統領の権威主義、全体主義と後発産業化は、民主的人間関係や近代的市民意識の定立を阻んだといえます。

平等主義の横行

姜 韓国の民主化は、1980年代以後の継続的努力で達成したのを世界中の人が知っています。軍事独裁と前近代的メカニズムと戦って取得したのが、今日の民主主義ではないでしょうか？

金 韓国の民主化については、十分に肯定をすべきですが、左派陣営と呼ばれる全教組だけを見ても、私はやはり画一主義的病弊があると考えます。

姜 確かに、韓国で画一主義、平等主義が乱舞するのは事実です。差別反対、人間平等を追求するのはいいのですが、極端になってしまうと、人間平等を言い訳に、社会的秩序を崩壊させる危険性まであります。

金　日本の前例があります。戦後の「民主教育」は、日本の全教組といえる日教組が、結局、画一主義と極端な均質的教育体系を蔓延させました。

姜　そうです。「人間はすべて平等である。劣化した学生は全て社会に責任があるが故に、社会が悪いからであって、子供のせいではない！　子供たちはみんな一緒に頑張っているから全て同じ点数をやるのが正義だ」。日教組ではこんなことをやってきました（笑）。

金　民主化教育を、あまりにも単純に考えたのですね。日本では、現在これを反省しているところではないでしょうか？

姜　全教祖はやはり日教組の単純性、弊害から教訓を吸収しなければならないですね！

金　人間の能力は、機械で作ったロボットのように平等ではないです。人間は顔立ちや性格がみんな違うように、能力も資質も違うのを忘れてはいけないです。

姜　絶対的平等主義、均質主義は、結局、個人主義を阻止してしまいます。民主、平等、アンチ差別を極端に強調することは、教育の多様化、個性化を亡ぼすのみでなく、人間のモラルも育てられない。

ある中学校で、インターネットのわいせつな映像を見て、それをまねる学生たちが出てきたという新聞記事を見ました。そして、保護者たちが全教祖へ抗議したとネットで見ました。このように、人間性の教育が無視されるのはだめですね！

模擬民主主義の弊害

金 韓国の民主主義に対して、全体的には評価したいです。しかし、そこには反省すべきことも多いと思います。

姜 韓国に「民主主義」があまりにも溢れすぎて、問題だと言う人もいるくらいです（笑）。あまりに氾濫しすぎて玉石混交（ぎょくせきこんこう）のように、真の民主主義を汚す恐れもある。日本の「戦後民主主義」にニセモノがあるように、韓国も例外ではないです。

金 「模擬民主主義」ですね。民主主義に似ているけど、ニセ民主主義ということですね（笑）。

姜　商品でいえば偽物ですね。

　東大門市場でよく出合う偽造ブランド品とでもいえます。できのいいルイヴィトンの鞄やロレックスの腕時計は、本物に間違えるほど似ていますから（笑）。

金　なるほど。似ているけれど、本物の民主主義ではない。その大きな特徴は、独断的、無批判的受容から出発して、民主主義がこの世界を救える万能薬とみなすことです。

姜　民主主義は韓国の具体的社会、文化、風土と関係なしに、韓国を救済することが可能だということです。

金　画一的、全体主義的傾向が、この模擬民主主義のもう一つの弊害です。

姜　そもそも民主主義は、多元主義を認める特質があるにもかかわらず、それを無視しています。例えば、エリートを否定すること、権利、利益を強調しすぎること、そしてすべての人間を、個性尊重のスローガンの下で、画一的平均主義的人間としてつくることです。

金 批判的な声は高いが、建設的な対策がないこともその欠陥の一つです。

無条件に対抗、反対することを民主主義の本質と錯覚して、何の濾過（ろか）もなく非難し、反対にエスカレートしてしまう。

姜 そうです。大衆へ迎合する要素も相当多いです。大衆の利益を並べるだけで、大衆の人気を得て、自分の目的を達成しようとねらっています。

民主主義よりも自由を、「私」を

金 民主主義という美名下で、よく暴力をふるうのも「民主主義的暴力」です。

姜 韓国知識人の中で、「われわれの中の暴力」を批判する人も出ていますね。

例えば、李榮薫教授の『反日種族主義』は、韓国の日本に対する欺瞞と

「われわれの中の暴力」に対する真正面からの批判です。

金　そうですね。韓国の民主主義者は、李教授らを「反民族者」だと罵倒しました。私が見たところ、韓国は民主主義といっても、民族主義が占領しています。本当の言論の自由を抹殺する、民族主義的要素が強いですね。

姜　だから、本当の自由主義や民主主義は、韓国では難しいということです。

金　フランシス・ヨシヒロ・フクヤマの言葉を借りれば、「自由主義と民主主義は全く異質」ということです。この話をもっと細かく咀嚼（そしゃく）すべきです。

フリードリヒ・アウグスト・フォン・ハイエクも「民主と自由、どれが重要かと問われるとやはり自由が重要だ」と晩年に語っています。韓国に欠如しているのは、民主よりも自由、人間としての「自由」思想ではないかと思います。

姜　なるほど。

民主主義はあっても、自由のないところはいくらでもありますね。だから民主主義、デモクラシーよりも自由がもっと重要です。もちろん、民主主義に反対する意味ではありませんが。

金　ギリシャの古典でも、デモクラシーは「暴民政治」（＊15）という意味を内包しています。デモクラシーが持続すれば、暴民政治へエスカレートする場合もありうる。アメリカやイギリスでも、素直に民主主義は危ういとしています。

姜　自由がなければ、民主主義を実施してもあまり大した意味はありません。韓国は、民主化はあるが個人の自由が貧弱な国です。

金　これからは、民主化の代わりに自由「人間宣言」がほしいところですね！

国家主義や民主主義を超えた市民社会をつくり、また、それをも超えた

＊15　暴民政治
愚民政治、衆愚政治ともいう。ギリシャの歴史家ポリビオスらが唱えた政体循環論の形態の一つで、無知な民衆によって行われる堕落した民主政治。有権者は、扇動的な政治家に踊らされ、目先の利益のため理性的な判断を欠く状態となる。この理論では、①君主制（一人の有徳者による支配）→②専制（①が世襲制となる）→③貴族制（革命などで②が倒れ、少数の特定の階級が支配）→④寡頭制（③が堕落し、少数者が自らの利益のために支配を行う）→⑤民主制（自由・平等を基とし、国民全体が主体的に政治に参加）→⑥衆愚制（⑤が愚劣化し、無方向・無政策な政治を行う）→再びすぐれた指導者を求めて①君主制に戻り、この循環が続いていくとする。

個人主義が韓国には必要です。

姜　賛成です！　これからの韓国は、「ウリ」（われわれ）が「ナ」（私）に代わる国として変容しなければなりません。

「私」が、堂々と「私」として役立つ社会になるべきです。まぁ、これからは「ウリ」「ウリ」言うのではなく、「ナ」としないと（笑）。

日本では「私たち」ではなく、「私」の社会になって久しいです。

金　同感です！

第六章

「日韓関係新思考」の提言

——「歴史の忘却」の大知恵

「知的欺瞞」とは何か

姜 以前、金さんは講演(2019年10月26日)で「知的欺瞞」についてお話しされましたが、大変、新鮮で意味深長でした。李榮薫(イヨンフン)氏の『反日種族主義』でも、金さんの指摘したように、「韓国の国民も政治も嘘つき」と、その真相を喝破(かっぱ)して、これらの一番大きな責任は「嘘つきの学問にある」と、ずばり指摘しています。

李さんは、『反日種族主義』の中で、「韓国の歴史学や社会学は嘘の温床で、大学は嘘の製造工場だ」と言っています。そして、「大体1960年代からはじまり、2000年代に入ると、すべての国民、すべての政治が平然と嘘をつくようになった」とします。さらに、「古代史から現代史に至るまで、韓国の歴史学は多数の嘘をつき、特に20世紀に入り日本が韓国を支配した歴史と関連し、誰はばかることなく、嘘が横行した」としています。

　金さんのいままでの著書での主張とほぼ変わらないですが、金さん、「知的欺瞞」についてもう少し詳しくお話しいただけないでしょうか？

金　はい。実は「知的欺瞞」という用語は、私の造語です。

　つまり一言で言えば、知識、情報、人文科学などで民族主義に奉仕迎合するために自ら嘘をつくこと。捏造、歪曲（わいきょく）して、自民族に有利にする一種の悪の技術、欺瞞であることを意味します。

　ジョージ・オーウェルが１９４５年に刊行した『民族主義論』に、有名な名言があります。「民族主義は自らの欺瞞で権力の飢渇を煽る」。民主主義者にとって歴史の記述は、自分のために真実を離れた嘘、ファンタジーのようにものをつくり上げ、その幻想の中で、ある種の勝利、優越感を感じ、コンプレックスや復仇（ふっきゅう）、恨みの満足感を満たすか、ライバルの他民族に対する強い恨みを呼び起こすことができるのです。

虚言と捏造は「知的欺瞞」の最も基本的な手段ですね。

姜 なるほど。韓国で「知的欺瞞」が横行するのは、日本植民地支配の史実を、やはり民族主義や愛国主義に利用するためですね。

例えば、「朝鮮総督府が土地調査事業を通して全国の土地の40％を国有地として奪った」という教科書の記述はでたらめな虚言で、「朝鮮の米を日本帝国主義が収奪した」という教科書の記述も捏造だったようです。慰安婦問題でも、「日本の警察がむりやり連行した」との主張は真っ赤な嘘を土台としたものだと、李教授たちが指摘しています。

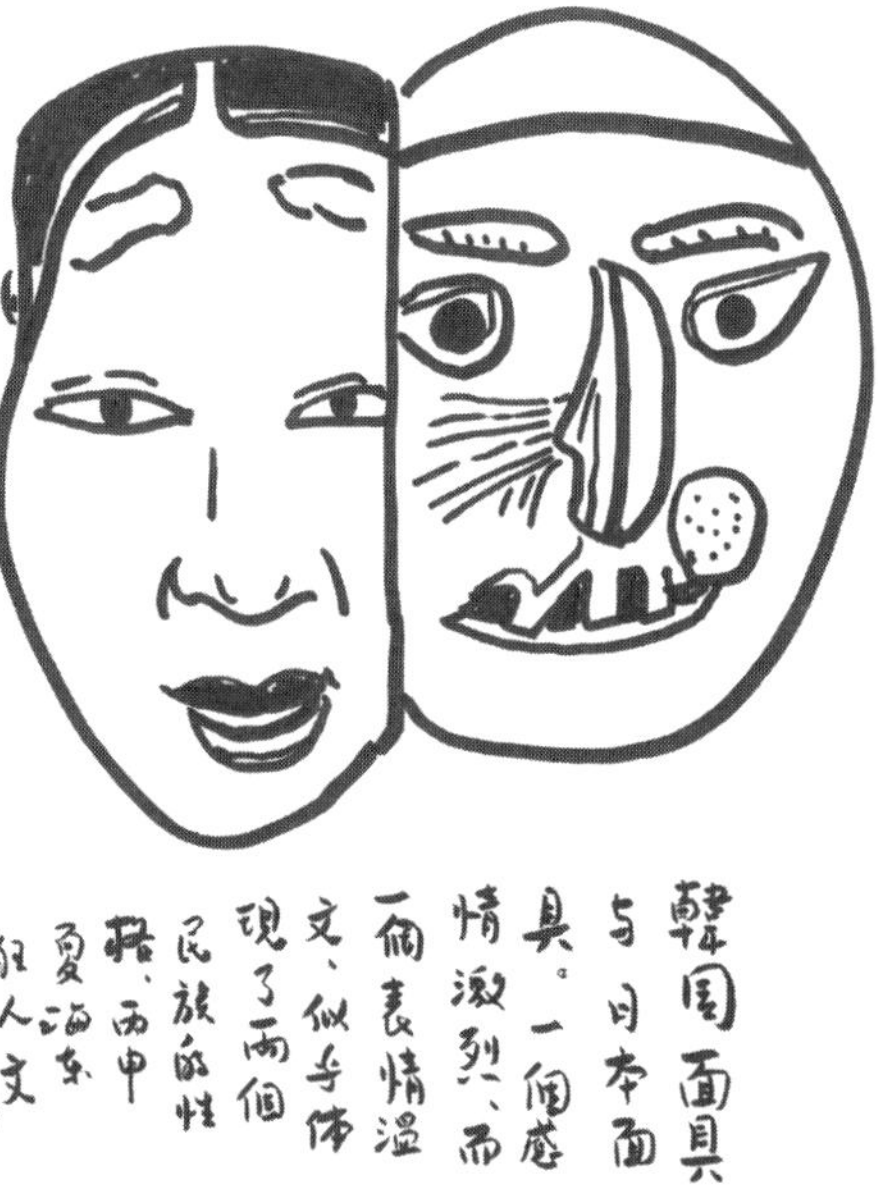

金 そうです。歴史学の嘘、つまり「知的欺瞞」は、韓国に限ったことでも今に限ったことでもないです。実は、ヨーロッパでも中国でも常に行われてきたのですが、特に近代になって著しくなるわけです。日本も近代において、歴史学や大衆出版物で、かなり捏造と作り話が横行しました。

チンギス・ハンは日本人だとか、日本人はユダヤ人だとか、けっこう奇想天外なものもありました（笑）。

「幼稚園の歴史」

姜 （笑）。さすがに、日本も近代化の過程で、歴史では5000年を誇る大陸中国や、近代化に成功した西洋列強にコンプレックスがあったのですね。

中国でも同じく、自国の歴史をわがままに改ざん、捏造したりすることは日常茶飯事でした。日中戦争の記述についても、毛沢東（マオツォートン）は日本軍と正面であまり戦ってないし、蒋介石（しょうかいせき）の国民党軍（＊1）が抗日の主力軍だっ

＊1 国民党軍
国民革命軍（中国国民党〈1925〜1947年〉の軍事組織）の日本国内での呼称。国府軍。1925年に北伐を目的に創設され、中国国民党一党支配の際には中華民国の国軍でもあった。

たのは誰もが知っている事実です。しかし、毛沢東の共産党は、自分たちが抗日の主力だったとして教科書などで大いに喧伝したり、抗日戦争ドラマを大量に作って、自画自賛を惜しまなかったです。

金　はい。歴史は民族主義の記述においては、一つの大きな特徴があります。つまり、民族主義の歴史記述では、自民族は常に最も偉大で、正義で、モラル・品性も最良で、最も優秀ということです。そして、自民族は平和主義者、文化の輸出者であり、常に他民族の侵略と侮辱を受けてきたことを強調しがちです。

姜　朝鮮半島は歴史上1000回の外来侵略を受けたことを、韓国人は好んで言いますね。これで、自民族に対して自負心と自信を呼び起こし、他民族（国）に対しては冷淡で、敵意や恨みを煽るのです。

金　おっしゃる通りです。民族主義研究で有名なエリック・J・ホブズボームは、1991年のアメリカ人類学協会の招請講演の中でこう言っています。

「19世紀のはじめと20世紀に民族主義の他者に対する恨みは一種の種族

主義として発展し、これはほとんど普遍的現象になった」と。

姜 李榮薫さんの『反日種族主義』の種族主義の提起法は、そこからきたかもしれないですね? 民族主義が偏狭になると、種族主義になってしまいます。

金 イギリスの軍事史学者、マイケル・ハワードは、1961年のある講演中、民族主義の軍事史への悪辣(あくらつ)な影響を批判しながら、「民族主義と軍事主義のために奉仕する歴史は『軍国主義の侍女』で『幼稚園の歴史』だ」と指摘しました。つまり、極めて幼稚な段階で止まった歴史記述、認識だということです。

この「幼稚園の歴史」というたとえは有名になり、以降多くの歴史学者がこれを借用しています。

姜 なるほど。これはアルベルト・アインシュタインの名言と似ていますね。「民族主義は一種の児童病で、人類の麻疹だ」

欧米の学者は日韓併合を肯定的に評価した

金 日本と韓国の間での外交的トラブルは、現在の問題ではなく、歴史問題、特に日韓併合時代（日本植民地支配）をめぐる問題です。

だから、視点を変えて、日韓当事者以外の第三者がこれをどう研究し、見ていたかを考察することは、とても意義重大だと思います。

姜 なるほど。「搾取と抑圧、虐殺と暗黒、民族史上最悪の36年」。これは、今日もなお韓国で神聖にして侵すべからざる定説です。

一方的に「悪」として否定された日本植民地統治を、世界史的視野で相対的に評価して、自己執着的民族主義から脱しないといけないです。

金 そもそも、他者による支配は悪だという史観は、ウッドロウ・ウィルソン（第28代アメリカ合衆国大統領）の「民族自決」（＊2）の立場から言えば、当然であり、否定はしませんが、しかしすべての物事に明暗の両面があるように、植民地にも、韓国にとってプラス面があったことは誰の目にも明らかです。

＊2　民族自決
各民族が他の民族や国家の干渉を受けることなく、自らの意志に基づいて、その帰属や政治組織、政治的運命を決定するという主張、集団的権利。民族自決権。現在、国際紛争の解決に援用されており、国際法における基本的権利の一つとなっている。自決（自治）の思想である「統治されるものが統治する権利をもつ」は、フランス革命期に由来する。

韓国人の視点は、被害者意識に凝り固まっていて、世界史全体を見渡す視野に欠けているということです。

姜　これこそ、韓国人にとって最大の不幸ではないかと思います。金さんの研究では、西洋人の第三者たちは「日本植民地統治」についてどう評価したのでしょうか？

金　まず、フランスの学者、ジャーク・プズー＝マサビュオー氏の論点を見ましょう。彼は『新朝鮮事情』（＊3）の中で、「日本統治は韓国の近代化をもたらした」と明言しています。

「かつて世界で植民地支配を受けていた地域で、韓国と台湾ほどに発展した国家は存在

＊3
ジャーク・プズー＝マサビュオー『新朝鮮事情』（文庫クセジュ）、菊地一雅・北川光児（訳）、白水社、1985年

しない。アメリカやイギリスなどの列強に支配された植民地で、韓国と台湾のように発展を遂げた国は残念ながら現れていない」

姜 やはり西洋は客観的立場から、日本の植民地支配の貢献を公正に評価していますね！

金 日本の植民地支配を猛烈に批判し、韓国に同情心を抱いていたイギリスの著名な知識人、フレデリック・アーサー・マッケンジーは率直に断言しています。

「すべての偏見を捨てて観察すれば、今日の韓国が独立を喪失した理由は朝鮮王朝の腐敗と脆弱にある」（＊4）

姜 やはり、西洋の識者から客観的に見ても、朝鮮王朝の滅亡と日本の植民地へと転落した原因は、朝鮮の腐敗と無能にあったわけですね。

日韓併合の本当の原因は韓国にあった

金 「日韓併合の本当の原因は韓国側にあった」と指摘する韓国知識人も

＊4 フレデリック・アーサー・マッケンジー『朝鮮の悲劇』渡部学（訳注）、平凡社、1972年

しばしばいました。

姜　それは、李榮薫氏ら以外にも、真実を言う韓国知識人がいたということですね。韓国では「売国奴」になりかねない。すごい勇気がいることです。

金　大体、日本の植民地統治に対して、西洋の知識人や当時の韓国人エリートの評価は予想以上に高い反面、朝鮮政府に対する評価はとても低いものでした。当時のエリートで愛国歌（エグッカ）（韓国の国歌）の作詞者で知られる尹致昊（ユンチホ）は1883～1885年の日記の中で、「韓国人民は無知で皇帝は無能だ」と喝破し、「文明において日本が率先実現し、実に羨ましい」と表現しています。

姜　確かに、日本を羨望することは当たり前だと思います。文明、とりわけ西洋文明を素早く導入して、東アジアの近代国家を率先してつくったのだから。

日本を知っていた尹致昊や、金玉均（キムオッキュン）、朴泳孝（パクヨンヒョ）、金允植（キムユンシク）のようなエリートは、朝鮮政府に失望したあげく目線を日本へ向けました。朝鮮政府が自己の実力で革新を実行できなければと、これら国際的視野をもった知識人たちは自然に西洋文明の優等生である日本に学び、日本に期待したわけですね。

金　はい、おっしゃる通りです！　現代の韓国の有名な評論家、卜鉅一（ポクコイル）氏はずばりと指摘します。「朝鮮末期の社会を正確に考察すると、私たちは当時、わが国が原始的社会機構をもったままの中世的国家であり、ろくに統治されない社会であった事実を切実に悟ることができる。19世紀の朝鮮は、一般的に両班（ヤンバン）と呼ばれた少数の支配層を除いて、それほど良い社会ではなかった。朝鮮が中世的国家であったことは、日本の強要で推進された甲午更張（＊5）の内容にもよく示された」。（＊6）

姜　なるほど。朝鮮末期は、われわれが現在理解しているイメージとはとても違います。

　高麗時代に制定した「奴隷制」が依然として存在していました。朝鮮時代、日本の植民地になる直前まで奴隷制度が厳存し、奴隷を管理する「奴婢弁正都監（ノビパションドガム）」と「奴隷院（ノエウォン）」などの機構もありました。

＊5　甲午更張
1894〜1895年に、日本軍が日清開戦を口実に朝鮮で行った内政改革。1895〜1896年にかけて行われた乙未改革も含めて、甲午改革とも呼ばれる。日本が干渉してできた親日開化派（金弘集政権）により、官制改革（国政・宮中事務の分離）、科挙の廃止、通貨改革、身分・差別の撤廃などが断行された。

＊6
卜鉅一『日本植民地時代の朝鮮経済 数値・証言が語る日本統治下の社会』堤一直（訳）、桜美林大学北東アジア総合研究所、2016年

このような奴隷制が1000年近く存在し、しかもこれに対する何の批判や反論もなかったようです。

金　だから1894~1895年の日本人の推進によって「甲午更張」の革命を実施し、奴隷制度が消滅することになり、朝鮮人の平等が法律的にやっと実現したわけです。

姜　日本人の強要であったにせよ、朝鮮の人間の平等を法的に保障したのは、革命的進歩と言わざるをえないです。

金さんは日中韓文明を比較する学者として、朝鮮の日韓併合に対してどう思い、どんな自己責任があったと思うのでしょうか？

金　韓国が日本に併合されたのは「亡国の恥」ですね。韓国の責任は以下のようなものがあ

ると思います。
①中国の儒教式人治体制、②前近代的等級関係、③中国的儒教式価値観と盲目的文明優越主義、④実務能力の不在と空論的国民性、⑤世界情勢に対する理解不足と対応のにぶさ、⑥革新意識の欠如と薄弱、⑦小数両班グループと王朝の利益を国家の利益より大切にし、国家の利益を無視する、⑧民族意識、自己意識の欠如、⑨国民国家の不在、⑩中央集権制の腐敗性。

姜　「日韓併合」の歴史的教訓の中でも、われわれ自身の欠陥を反省してみてすぐ発見するのは、やはり韓国の無能によって、自己の独立・自立の道を日本人に任せてしまったことです。
だから、いま韓民族に必要なのは、過去の話ばかりもち出して、日本という他者のみを糾弾するのではなく、自分自身の致命的弱点を反省し、思考することです。さもないと、「歴史の教訓を汲む」ことは不可能です。歴史の教訓をいかに汲み取るかに対しても、韓国人は反省すべきです！

日本統治の36年を四期に分けて検討すべき

金　そこで、私は「日本植民地統治」を、すべて否定するのは最大の愚であると主張してきました。

姜　やはり好悪は別として、統治期間中の実績を冷静に分析するのが正解ですね。

金　はい。まずは、第一期［明治43（1910）～大正8（1919）年の三・一運動（＊7）］の創業期。

　この期間はかなり武力を伴う支配であったため、反日武装運動が頻発しています。

姜　いわゆる「武断政治」（＊8）と言うべきですね。

金　はい。次に、第二期［大正8（1919）～昭和6（1931）年］の守成期。

　この期間は韓国人による新聞発行、言論の自由などを保障し、『朝鮮史』編纂をはじめ、韓民族の文化、伝統を尊重したゆるやかな政策が実施され

＊7　三・一運動
日本統治下にあった韓国で、1919年3月1日に始まった朝鮮民族による反日独立運動。崔南善により起草された独立宣言書で口火を切り、その後、朝鮮全土の民衆に広がり、同年末の日本軍・警察による武力鎮圧まで続いた。朝鮮民族の帰属意識の高まりや独立要求の発信へとつながり、また、日本側の武断政治（＊8）から文化（文知）政治への転換期となった。

＊8　武断政治
武力・強権を発動して、その他の勢力や民衆の主張・不満を抑え込む政治手法。文化（文知）政治の対語。

たから、「文化政治」と呼ばれました。

姜　韓国人の新聞発行、言論の自由を保障したのは、たいしたものですね。21世紀の今も、中国の習近平（シージンピン）体制下では言論の自由はないです。これらを勘案すると、当時の「文化政治」は低く評価できないはずです。

金　第三期［宇垣総督時代（1931）〜昭和12（1937）年の支那事変（＊9）］は建設期で、教育普及に力を入れて、韓国の僻地にまで初等教育を普及させただけでなく、広範囲に農村振興運動を展開して、韓国人の生活レベルを著しく向上させます。

姜　なるほど。しかもこの時期、工業化も広く推進して、韓国の近代化を一気に整備させるのですね。

金　そうです。「振興政治」とも呼ぶべき時代です。

そして、第四期［支那事変（1937）〜昭和20（1945）年の敗戦］は、同化期の段階で、戦時体制が徐々に完成され、「内鮮一体」のスローガンによって日本との同化政策が推進されます。

姜　この時期に、韓国人に日本人並みの勤労奉仕（韓国、北朝鮮では「強

＊9　支那事変
日中戦争（1937〜1945年）の日本側の呼称の一つ。両国の思惑により開戦時にお互いが宣戦布告をしなかったため、日本側では「支那事変」「日華事変」と呼ばれた。当時の政府が海外への侵略（戦争）継続のため、「戦争放棄」が決められたパリ不戦条約（1928年）を見据え、中国への侵略行為を「戦争」と表現しないことで、資源の輸入停止の回避を計った。また、国内外に「侵略行為（戦争）」の性質を隠す意味もあった。

制連行」と呼ぶ）を課して、とても厳しい統治に転換したのですね。

金　韓国が今日も糾弾する「皇民化教育」（＊10）、「日本語強制・朝鮮語抹殺」、「創氏改名」（＊11）などは、すべて第四期の「臨戦期」に実施された政策だと一目で分かります。

姜　韓国では、つまりこの第四期の厳しい統治のみをもって、日本植民地支配のすべてであるかのように誇張、歪曲して日本を批判したり、「反日」に利用するわけですね！

金　そうです。これも一種の「知的欺瞞」であり「幼稚園の歴史」的捏造といえます。

姜　日韓併合（植民地支配）の歴史について、むしろ韓国の方が捏造や歪曲が多いですね。

捏造・歪曲された「日本の韓国統治」

金　その通りです。「知的欺瞞」や「幼稚園の歴史」の書き方によって、

＊10　皇民化教育
日本が戦時中（主に満州事変から太平洋戦争まで）に占領地（朝鮮・台湾等）や沖縄で行った、日本文化への強制的な同化教育。日本語の常用、神社の建設や参拝、日の丸の掲揚、君が代の斉唱など。

＊11　創氏改名
日本の植民地統治下の朝鮮で、強制的に朝鮮姓を廃止して日本式の氏名に変えさせ、天皇家を宗家とする家父長制に組み入れようとした政策（1939年制定～1945年消滅）。

韓国の教科書や知識人は「日帝36年統治の最悪説」を作り出し、反日民族主義を煽ります。

姜　その意味で『反日種族主義』の出版は、実に「知的欺瞞」や「幼稚園の歴史」に洗脳された韓国同胞を覚醒させる、一種の警鐘的存在です。

金　はい。学者たちの研究では、20世紀に入り、朝鮮は大韓帝国という国名で出発するのですが、国家経済は破産状態で、建て直しは不可能でした。初代韓国統監を務めた（明治39〈1906〉～42〈1909〉年）伊藤博文は、日本から無利子、無期限という破格の条件で、当時のレートで2000万円を借り入れ、初代朝鮮総督の寺内正毅（てらうちまさたけ）も3000万円の大金で朝鮮の財政を救いました。

その後の35年間、年平均1000万～1500万円の投資を借款の形で行います。

姜　そうですね。これは、朝鮮総督府の年間予算の十分の一を日本が支援した勘定になると聞きました。

当時、イギリスやフランスなどの諸国が植民地から搾取したのとは全く逆に、日本政府は植民地を支援したわけですね。満州に対する建設も、日本が永住地として着実に行ったことは誰もが知っています。

朝鮮の近代化基盤を整備したのは、日本統治時代です。半島に鉄道を敷き、新作路（道路）を通し、港湾を築いて、さらに重化学・製鉄などの工業を拓きました。それが、現在の北朝鮮の工業の基礎になっています。

金 そうです。朝鮮の禿山に植樹し、農業の治水、灌漑工事も行いました。そして、度量衡の統一、インフラ整備、人口調査、土地調査を行いました。韓国では「土地の強奪」という虚言を定説として定着させましたが、実は国策会社だった「東洋拓殖」（＊12）が買い占めた耕地面積は約4％というのが正しいです。

＊12 東洋拓殖
東洋拓殖株式会社。1908年に日本が国策の一環で、各地の植民地支配のため朝鮮で設立した半官半民の特殊事業会社。農業を主とする拓殖資金の供給や、各種事業（水利事業、土地取得・管理、移民関連等）を目的としていた。

姜　『反日種族主義』の中でも、李榮薫教授が韓国の教科書の「40％土地収奪説」を見事に覆して（くつがえして）いますね。40％説というのは、国定の教科書を書いた歴史学者たちが適当に作り出した数値だということです。

歴史の授業時間で、この部分を教えるとき、教師も学生も皆、泣いたりしたそうです。あまりにも辛く、悔しいから。捏造や歪曲した歴史は、国民を洗脳する、本当に危ない「幼稚園の歴史」の「知的欺瞞」です！

金　はい。1941年になると、農業生産高が朝鮮の総生産高の40・6％を占めたのに対して、工業生産高は36・5％、鉱業は8・1％と鉱工業合計で44・6％に達します。つまり、この頃から朝鮮は、農業社会から工業

社会へと変貌したということです。

姜　金さんの本の中でも、日本の統治は朝鮮の近代教育の普及と向上にも大きく貢献したと記述されています。

朝鮮伝統の漢文崇拝、儒教支配は普通教育の普及を阻害する元凶でしたが、日本は儒教の旧習を打ち壊し、教育普及を見事に実現します。

日韓併合前、伝統的書堂（旧式学校）が全半島に１６０前後あり、生徒は10万人ほどでしたが、これは当時の総人口の１％でしかなかった。しかし、日本統治の最晩年、１９４４年には、国民学校が延べ５２１３校、生徒数は２３９万８０００人に達しています。これはすごい教育の発展ですね！

金　その通りです！　さらに、韓国生まれでアメリカのポートランド州立大学教授、クリスティン・リーの力作『滅亡の帝国――日本の朝鮮半島支配』（韓国語版）では、日本支配下における、韓国の女性教育の普及について実証的に研究されていましたが、儒教伝統の支配に置かれた韓国では、日韓併合までは、女性が教育を受ける権利はなく、１９０８年に日本の教育諮問委員会の指導で、初めて女子公立学校が創設されます。
ですから、韓国の女子教育の本格化は、日本の貢献抜きには語れないです。

姜　なるほど！　朝鮮最初の近代的大学、京城（けいじょう）帝国大学（現在のソウル大学の前身）が創設されたのは１９２４年、これは内地の大阪帝大が１９３１年、名古屋帝大が１９３９年に創設されたのよりも早かったです。

金　興味深いことは、日本統治について、西洋の学者は大体肯定的な評価が多いですが、韓国の学者は大体否定的な評価が絶対的に多いですし、これを固執します。

姜　やはり、「反日」という感情は体質的です、韓国人にとっては。
「反日」を超えるのが、韓国人の一つの大きな課題ではないでしょうか。

「恨日（ハンイル）」民族主義

金 賛同です。「反日」ということになると、私は韓国の「反日」は、ただの「反日」を超えた「恨日」に特徴があると思います。一種の怨み、「怨恨」です。

私は、韓国の「反日民族主義」は、むしろ「恨日民族主義」と呼んだ方がいいと思います。

姜 「恨日民族主義」、それは新鮮な言い方ですね！

大体、戦後韓国の反日、恨日の思想では、「すばらしい朝鮮だったのに、日帝36年の統治は、その独立を奪った悪の侵略であると同時に、日本が自己の利益のため朝鮮民族に対して野蛮な暴力を尽くした極悪無道なものだった」としています。

だから、恨日、憎日する理由は、日本のこのような「野蛮な侵略的民族性」ということです。

金 そうです。特に文在寅（ムンジェイン）政権は「親北反日」、つまり「愛北恨日」のイデオロギーが最も濃厚かつ露骨な政権です。4月15日の選挙も与党が公然と叫んだように、日本を恨む反日の「反日戦」だったのです。ソウル市内のある区では、与党支持者が「投票で〝100年親日〟を清算しよう」と、大きな横断幕を歩道橋などに吊り下げました。

姜　恨日こそ、現在の韓国社会の大きな理念になってしまいましたね。選挙にまで「恨日」を悪用する韓国社会、さらに政権の「恨日体制」は確かに卑怯と言わざるをえないです。

戦後、韓国は全国民を集結させて、挙国一致の「反日」「憎日」をやってきましたが、特に文政権の「恨日民族主義」は最も極端で残念です。

金　私見では、韓国人は伝統的に「島国」に対して蔑視した慣習的思考があり、「大陸」に対しては敬畏してきました。文政権は自らのアイデンティティを「大陸」続きの北朝鮮に求めるか、接近させようとしているから、

「島国」の日本を恨む方向で進むのではないかと思います。

姜　そうですね。

韓国人は中国に対しては、なんでも限りなく寛容です。日本に対してだけ執拗に「歴史」にこだわって、いつも「未来志向」でいくと言っては謝罪や補償を求めてきます。もはや過ぎ去った「過去」がいつも、韓日のトラブルの源になるのは反省すべきです。

「日韓問題」はすべて韓国側の問題だ

金　戦後からいままでの「日韓外交問題」は、すべて韓国側からの「過去」への執拗なこだわりに由来するのは事実です。

姜　私も賛同です！　やはり、日韓問題というよりは、韓国人の心理的問題から起因すると思います。「過去」に韓国に悪政を実施したから、悪の日本人は恨むべきだということです。その時代の日本人はもはやいないにもかかわらず……。

金　だから、「日韓問題」というのは、日本と韓国の外交問題ではないということです。日本は正直言って、日韓関係改善のために努力を試みてきたのが事実です。しかし、韓国人が「過去」をもち出すのは、日本との問題ではなく、韓国人の現在の世代とその父や祖父の問題、つまり自分たちの祖先が無能なので日本に支配されたということ。それに対する心理的反逆、反発です。

姜　興味深い指摘です。

　それに、私は何を思い出したかというと、日本人が1945年の敗戦で撤退してから、反日・恨日はもはや一種の韓国の内部戦であったということ。つまり、いまも盛んに叫ばれる「親日清算」ですけれど、結局は韓国内部の親日的敵を打倒する内訌（ないこう）にすぎないということです。

金　それに、そのためには同一民族の北と手を結んで、「親北憎日」をアイデンティティの拠り所にすることです。中国大陸へも従服しながら、日本と米国離れをはかっているのが今の文政権です。

姜　なるほど。結局、韓国人は「日韓問題」を叫ぶのですが、韓国の一方的問題だというのは世界中が知っていますね。

金 韓国は自身のためにも勇気が必要です。つまり「知的欺瞞」から脱皮し、「幼稚園の歴史」から目覚める努力をして、過去の真実を知り、政治を抜きにして、歴史の研究を通して、「過去の自分の祖先の本当の姿」を知ることです。

姜 この意味で、金さんの本や『反日種族主義』は、本当に「知的欺瞞」から脱皮するのに大きな貢献をしたといえます。

金 (笑)。私は、このような真実を探る本がドンドン出ることを期待しています。

安重根(アンジュングン)と伊藤博文の「方程式」

姜 この意味から、金さんの近著『知性人・伊藤博文 思想家・安重根』(＊13)は、意義深い本だと思います。韓民族にとって安重根は民族の英雄で、日本人にとって伊藤博文は日本の近代をつくった元勲です。

＊13
金文学『知性人・伊藤博文 思想家・安重根──日韓近代を読み解く方程式』南々社、2012年

この日韓で全く対立する構図のシンボル的人物を通して日韓関係を解読するのは、実に良いことだと思います。金さんの研究によると、まず二人は自分自身の信念に忠実であり、人間的正義感とその実行において、意思の強さは共通しているとのことですね。

金　はい。それに二人とも「東洋平和」という共通的思想、構想をもって、それぞれ行動した人物です。しかもともに、儒学、漢文的素養が深く、知的人物でした。

いま、彼らが残している遺墨（いぼく）を見ても、達筆という単純な次元を超え、彼らがそれを通して頑強な信念に生きたことを、後世に訴えているのではないかと思います。

姜　この前、金さんから伊藤博文の直筆遺墨を拝見させてもらいましたが、確かに伊藤の書は書家といえるほど達筆でした。しかも、自身の漢詩を墨書していましたね。

金　安重根の書も、韓国近代の漢字書家として、やはり漢学や文人的素養を備えていることが分かります。気魄（きはく）に溢（あふ）れる書ですね！

姜　安重根は、日本側にとってみれば「犯罪者」「テロリスト」であったにもかかわらず、旅順刑務所や法廷関係者の間では尊敬を一身に集めました。自国の元勲たる人物を暗殺した異国の人物に、これほど尊敬をあらわすケースは異例でしょう。

金　やはり、安重根の毅然とした態度が多くの日本人を魅了したのだと思います。ところが、一つの問題はこのような安重根に対する日本人の敬意と比べ、韓国人の伊藤に対する態度はその認識すらも極めて浅いし、歪曲した部分が多いことです。

残念ながら、これは日韓における伊藤と安重根の「方程式」です。

姜　なるほど。伊藤と安の方程式を解くことは、すなわち、「日韓近代史の方程式」を解読することにつながるということですね。日本人が安に対して一定の理解を示したように、韓国人は伊藤に対する理解を示すような認識や真実を知ろうとする努力がなくてはならないと思います。

せめて、伊藤に対して感情ではない平常心で、冷静に見ようとする姿勢はあってもよいと思います。

知られざる安重根の最後の懺悔（ざんげ）

金　そうです。韓国では語られていないですが、実際、安重根は刑務所で日本人の態度に影響され、その心の中に徐々に微妙な変化が生まれるのです。

姜　韓国の研究者や一般人の中でも、このような安重根の心情変化は見逃されていますね。やはり、自国の英雄こそ潔白無垢で、完璧な英雄でなければならないからでしょう。

金　私見では、安重根の微妙な変化こそ、安を理解した上で、伊藤との関係を含めた日韓の理解へつながる糸口になると思います。

私は「独立」（*14）という安の遺墨を保有していた、広島の安芸高田市向原町、願船寺（がんせんじ）の設楽正純氏を訪問したことがあります。彼の話によれば、安と親しかった大叔父の設楽正雄氏（当時、旅順市役所の職員）は生前、安の話をよくしていたそうです。

姜　私も設楽さんの持っていた「独立」の遺墨を拝見しています。どっしりとした安重根の筆致から、朝鮮独立を訴える切々たる気持ちが伝わって

＊14　安重根の遺墨「獨立（独立）」
1910年に旅順の獄中で書かれたもので、設楽正雄氏が安重根より譲り受け、実家である願船寺で長く保管していた。2015年に、願船寺から龍谷大学（京都市）に寄贈された。

きました。獄中で安は、かなり優遇され、上等の白米、果物を配給され、入浴に散髪、布団も四枚という厚遇だったらしいです。

金　はい。安は日本人の親切な心を感じ取り、徐々に変化を遂げていく。そして、彼は死刑判決が確定すると、「私は果たして大罪人なり。我が罪は他にあらず、我が仁をなす弱気は、韓国人の罪ではない」（＊15）という心境に至ったのです。

姜　彼は看守の千葉十七（ちばとうしち）に、「私は本当にやむをえず伊藤さんの命を奪ってしまった。韓国の悲惨な現状は伊藤さん一人の責任とは言えないかもしれない。伊藤公には全く私怨はなく、公にも家族にも深くお詫び申し上げたい」（＊16）と告白しています。

金　明らかに、最後の安重根はキリスト教信者として、東洋平和思想の持ち主として、自分の義挙（ぎきょ）、つまり伊藤の命を奪った暗殺行為に対して、心情的に奇妙な懺悔があったのではないでしょうか。

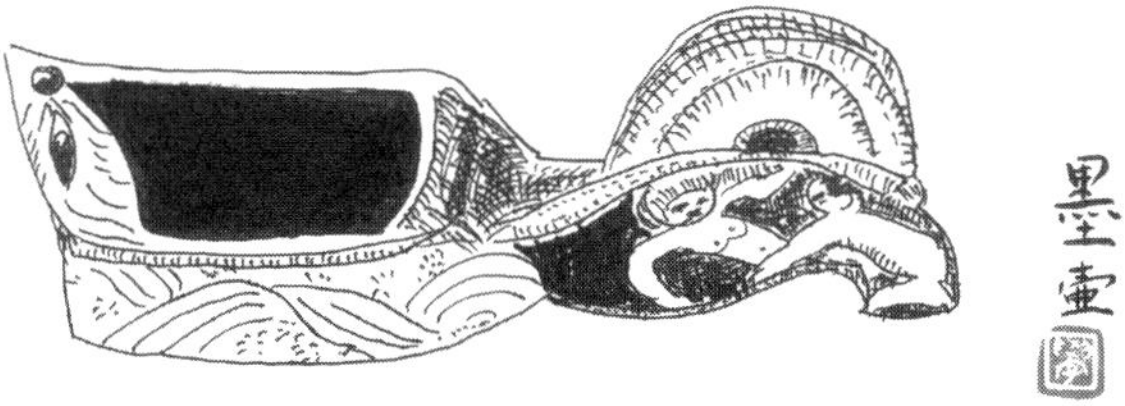

＊15、＊16
斎藤泰彦『わが心の安重根――千葉十七・合掌の生涯』（増補新装版）、五月書房、1997年

「韓国の悲惨な現状は、伊藤一人の責任ではない」という安の言葉には、わが民族の自己反省を促す、深長なメッセージが含まれているのではないかと思います。

かつてあった日韓の「和解」

姜 やはり、死刑を目前にして本心を語った英雄、安重根の言葉を、韓国民族はよくかみしめる必要があるのですね。

金 実は、安と伊藤の息子は歴史的「和解」をしています。

1939年10月、安の遺児、安俊生（アンジュンセン）がソウルで伊藤の次男、文吉（日本鉱業社長）と対面して、博文寺（はくぶんじ）を参拝し、伊藤の霊前で和解をします。

俊生が「父に代わり、心より深くお詫び申し上げます」と言うと、文吉は「私の父も君の父もいまは仏になって空に帰しているのだから、お詫びのことばはいりません」と答えたそうです（＊17）。

姜 これは、歴史的「和解」だと思います。「怨讐（えんしゅう）」を超える握手にこそ、

＊17
『京城日報』1939年10月16日、『大阪朝日新聞』1939年10月17日、『朝鮮日報』1939年10月17日

対立を解き、未来を志向する前向きな姿勢があるのではないでしょうか。
日韓の間で、このような「和解」が1939年にあったことは、21世紀の私たちに見本を見せたと思います。いかなる怨念も超越した、こうした「和解」意識が欠如しては、日韓が歴史の高いハードルを越えることは至難ですね。

金　しかし戦後、特に21世紀の日韓関係は、むしろ「過去」に執着して、怨念、恨みを超える発想が後退しています。

2020年、日韓和解の年へ

姜　2020年で、日韓併合から119年、韓国の独立からすると75年を経ています。75年といえば、人間で例えると古稀（こき）を越えた老年期の成熟した年齢です。私ももうすぐ76になるのですが、やはり超脱、寛容、理解……といった品格が解る年だと思います。
ところが、日韓の間には、依然として植民地の記憶、清算、賠償などで過去認識のギャップがあり、去年、２０１９年の文政権による対日糾弾の「過去」の引きずりによって、日韓には21世紀に入って最悪の時期が到来したと言われます。

その解決案の一つとして、近年日韓の間で「共通の歴史認識」が不可欠だという意識が強まっています。しかし、この構想はすばらしいですが、実行は決して、それほど容易なことではないです。

金 おっしゃる通りです！ 政治的には言うまでもなく、もしも学界で日本側から少しでも、実証的研究で植民地時代などの「過去」へ真実に近づいた研究や発言をすれば、韓国側の反発は半端ではないですから。

姜 はい。今回、韓国内で、実証的研究として李榮薫教授らの『反日種族主義』が発表されたら、すぐ韓国学界、社会、政治的にすさまじい反発を受けました。

『反日種族主義』に真正面から反論する、『日帝種族主義』という本も出版されたようです。金さん、ご覧になりました？

金 はい。読んでみたけれど、感情的反発で、やはり「恨日」「反日」の種族主義を逆説的に証明した本です（笑）。

姜　いかにも韓国人的「恨日」の発露ですね。まぁ、こんな本は無視してよかろう（笑）！

金　私が客観的視覚で感じたのは、韓国人の「歴史」への執念ともいえる態度は、世界的常識から逸脱している面が多いことです。というのは、すでに実在した当時の「あった歴史」というよりは、常にこうあるべきだという後世の民族感情が多く投射された「あるべき歴史」を主張し、つくろうとする。これが韓国人の歴史観の現状です。

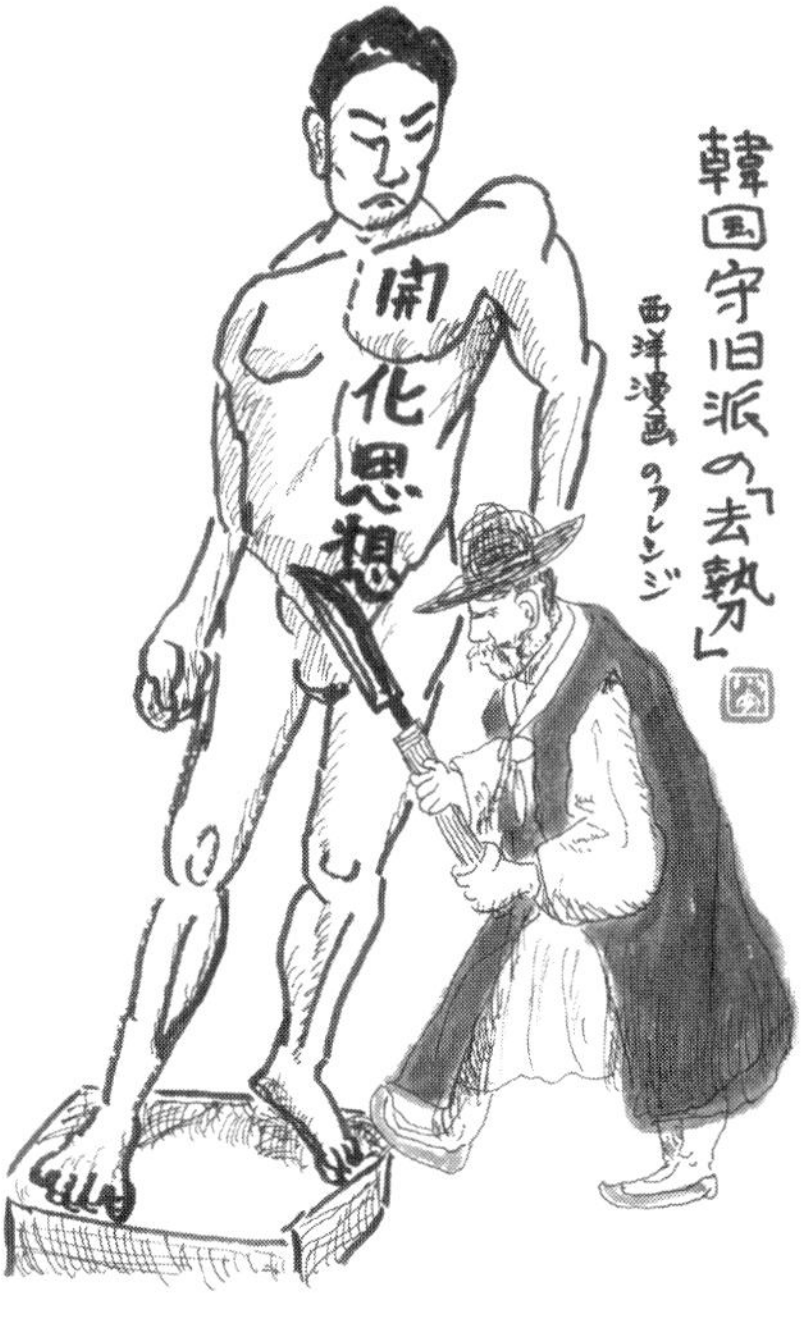

姜　「知的欺瞞」そのものですね。もちろん日本にも、極右的ナショナリズムのように日本民族の優

秀性などを唱え、韓民族を軽蔑する者もいますが、やはり、日本人の大多数は、植民地支配や戦争に対して否定的で反省しています。

金　「過去」の問題で、せっかく形成してきた日韓の現在と未来を牽制することに私は反対します。

姜　２０２０年の今年は、「日韓和解の元年」になればと願いたいですね！

「歴史の忘却」という大知恵

金　そうですね。私の考えでは、「和解」の方法として、日韓両方が喧嘩の方式を変えることです。つまり、「歴史を忘却する」大知恵に目を向けるべきではないかと思います。

姜　良いアイデアです。ドイツとフランスも「過去」を忘却して「和解」に達した好例があるから、その知恵を積極的に学ぶべきです。「過去」の記憶をめぐって対立が激化すると、結局現在の経済も政治も、交流もすべて損なってしまいます。

金　「過去」によって、現在の国家間や民間人の交流を阻害することはとてつもない「愚」ですから、「過去」の話をやめて、忘却する知恵は最も実効的です。

結論は、「もう過去は話さないこと」です。これが究極の「和解」です。

姜　大賛成です！　夫婦の間でも、昨日あったもめごとで今日までぎくしゃくするのは愚かだから。「和解」のためには、過去を、ただ他人を罵倒したり、攻撃したりする批判として利用するのではなく、より実証的な研究、真実への認識を増やすべきだと考えます。

金　イギリスの作家、L・P・ハトラーの小説にこんな話があります。「歴史という過去は外国であり、そこにわれわれとは違った人たちが住んでいた」と。

韓国では、平気で「歴史を正しく立て直す」とか「過去を清算する」と叫ばれますが、これほどおろかな歴史観はありません。

姜　だから、「過去」への認識は極めて解決困難な問題ですので、それを脱皮する知恵が必要です。「歴史を忘却する」大知恵は、いま日韓や東アジアにとって、最も適合した方法だと思います。

とにかく韓国は、「被害者」として日本という「加害者」への恨みを政治がフルに利用しているから、なかなか「忘却」に至らないかもしれませんが……。

金 いわゆる単純な「被害者VS加害者」という構図も忘却しなければなりません（笑）！　世相の事象は、いつも同一次元で止まっていると、何も解決できない。この次元を脱皮して一層高い次元、別次元で解決案を探すのは賢い方法です。

過去は宿命である

姜 「弱小民族」と自認する韓国民族の「過去」——日本植民地統治に対してのコンプレックスとプライドの鏡合わせは、私も理解しますが。しかし、かといって「過去」を適当に加工したり、歪曲する「幼稚園の歴史」は、「過去」を鑑（かがみ）とする歴史観にはそぐわないですね。

金　私に言わせれば、「過去は宿命である」ということです。考えてみれば、世界の森羅万象はすべてつながりをもつ体系的な世界でもあります。それらは、ある因果関係などの複雑なネットワークで形成されています。国や民族の過去も、自他的因果関係でできた産物です。

しかも、すべて過去がある。歴史があります。ただ一日を生きて死んでゆく虫にも過去があります。過去がないものはない。だから、過去は「宿命」であり、それ以上でも以下でもありません。

近代史の中で、韓国が日本との密接な関係の中で歴史を共有してきたことも、まぎれもなく「宿命」です。

姜　「過去は宿命である」。この話はお見事です！

確かに、過去に韓国が日本の植民地支配を受けたことは、言ってみれば、韓国の「宿命」、それです。もしも、その宿命がなかったら、いまの韓国民、韓国は存在しなかったはずです。しかも、この宿命によって、韓国人の文化や民族性が規定され、アイデンティティが形成されました。

しかし、いまの民族感情や政治家の気軽なニーズに迎合して、過去の宿命を「立て直すこと」に躍起となるのは、極めて愚かな発想で「幼稚園の歴史」ですね。

なぜ、「過去」にこだわるのか？

金　よく、日本人の読者から「なぜ韓国人はあれほど過去にこだわるのか」という質問を受けますが、私はおよそ三つのことがあると思います。

姜　確かに「過去」にこだわるのは、現在の韓国社会の特徴でもありますね。特に日本との関係では、過去へのこだわりはすさまじいです。

金　第一は「恨」です。韓国人からすれば、歴史上文化的優位にあって、日本に文化を教えたが、日本は恩返しをするどころが、韓国という兄に侵略し統治したという「恨」です。

姜　なるほど。「恨」意識は韓国人の民族性でもありますね。

金　第二は、植民地終焉の方式に由来します。1945年8月、日本植民地統治から解放されるわけですが、この解放はどういうことかというと、米ソなどの連合国に日本が敗れたということです。だから、敗戦といっても、日本が韓国に降伏したのではないです。

姜　そうです。韓国が一度は戦争をして日本を破り、独立解放を勝ち取るのが願望でしたが、それができずに悔しかったですね。

金　だから、韓国の知識人はそれを「盗まれた解放」と表現しています。日本の統治から自力で脱皮できなかったのが、全民族のトラウマになったということです。

姜　やはり民族的トラウマは大きいですね！

サッカーの日韓戦は、韓国人にとって

は一種の代理戦争で、必ず日本に勝たなければならない。勝ったら勝ったでソウル市内がドンチャン騒ぎ、負けたら負けた悔しさで騒ぐ（笑）。

金　（笑）。三つ目としては、韓国人は単一民族で多民族に同化されたことがなかったので、日本の植民地支配には強い抵抗感をもつわけです。

姜　そうですね。満州族やモンゴルが中国漢民族を植民地支配したけれど、彼らは割と従順だったですね。漢民族は歴史上他民族との混血や支配に慣れていますから。

韓国人が強く日本人の支配に反発するのは分かります。

「和解」のための提言

金　日韓の間でのトラブルは現実的な問題ではなく、すべて過去の歴史問題から由来します。世界的視野で眺めても、植民地を経験した国と宗主国の間でも、このようなケースは極めて異例です。

姜　だから、日韓両国は「過去のことを問題にする点」を反省すべきではないでしょうか？ 過ぎ去った過去、そのどうしようもない過去をしきりにもち出しては、現代人の足を引っ張る行為こそ取り止めるべきです。

問題は、「過去」をもち出すのは、いつも韓国だということです。

金 韓国は、国内問題や、北朝鮮との親睦のために、政治家たちが「過去」を利用してフルに民衆を刺激し、リードしています。「歴史」が政治家の利用物に転落したなら、これこそ「歴史」の悲劇です！

姜 「愛国」がゴロツキの最後の看板になったように、「歴史」が政治家の「看板」になるのは絶対皮肉ですね（笑）！

「歴史」はただ「歴史」として、学者に研究させるのがいいのではないでしょうか？

金 そうですね。ただでさえ、一歩一歩未来へ向かって歩くのも大変なのに、「歴史」「過去」という十字架を背負う理由はどこにもないでしょう。

姜 両国ともアジアでも先進国になったし、もう韓国も独立して70年以上過ぎて、民主や自由的思考と経済レベルをもっているはずです。だから、それにふさわしく「加害者」「被害者」の対立意識から解放されて、過去の話をしないことです。

金　両国とも、平常心で歴史、過去という宿命に忠実になるべきでしょう。いたずらに相手を叱責、糾弾する「幼稚園の歴史」から脱皮して、まず自己反省、自己批判を求めるべきだと思います。

姜　やはり、日韓問題を解決する最も的確で、有効的方法は「歴史を忘却する」知恵ではないでしょうか？　憶えることも大切ですが、神様は人間に忘却の知恵も教えてくれたのですから。

金　そうです。これこそ、日韓「和解」の最良の知恵です。

第七章

韓国よ、咲き誇れ！

── いま「民族改造」こそ再生の希望だ

いま、なぜ新「民族改造論」か？

姜　そろそろ、私たちの対談はクライマックスに達したと思います。

そもそも対談のねらいは、韓国、韓国人の中に内在する弱点、短所を点検し（長所、優秀性については論外にした）、それを改造することによって、新しい韓国人（在日韓国人社会も含め）社会を切り開いていく使命感から出発しています。

ここからは、われわれの中の改造、改善すべき問題点やその方法について提言することにしましょう。

金　そうですね！　新「民族改造論」は、やはりわが民族の文豪、李光（イグァン）

洙（ス）のあの『民族改造論』からヒントを得たのです。解放後、朴正熙（パクチョンヒ）大統領の『民族中興の道』などに登場した「韓国民族改造論」の基本的ベースは、李光洙の主張と一脈相通ずるものがあります。これらの改造を通じ、維新に成功しているし、またそれゆえに、朴の時代に画期的な近代化を実現したのでしょう。

姜　金さんがご自身の本の中で、「日本に福沢諭吉の『学問のすすめ』があれば、韓国には李光洙の『民族改造論』がある」と指摘したのは、重大な意義があると思います。

金　ありがとうございます。しかも、日本近代の代表的知識人の一人である徳富蘇峰（とくとみそほう）は、「中国には梁啓超（リャンチーチャオ）あり、朝鮮には李光洙あり」と言って、李光洙を朝鮮近代知識人の巨人として評価しました。

姜　「親日派」というラベル一枚で李光洙を蔑視（べっし）したり、無視することは韓国人の大損です。

『民族改造論』こそ、韓国の国民性を最も辛辣に解剖して、民族発展の方向を示した近代最大の名著です。

韓国では、李光洙の本をまともに読まずに、単純な黒と白の二分法と先入観で、彼を「親日売国」の巨頭として罵倒するか見下す傾向が強いです。李がわが民族の「悲劇的人物」であれば、それ自体がわれわれ自身全体の悲劇ということを意味します。

『民族改造論』が何の先入観もなしで真摯（しんし）に読まれていたら、彼に対する評価は180度変わったかもしれないですね。

金　はい、その通りです。実際、李光洙の『民族改造論』の本質は何でしょうか？　李は、わが民族の民族性の弱点を容赦なく批判し、えぐり出して改造することで、新しい民族の再生をはかりました。

おっしゃる通り、李光洙の批判をわが民族が謙虚に受け止めていたなら、今日の韓国はいまの現状ではなかったはずです。

姜　そうです！　わが民族の民族性、韓国人が咲き誇れることができれば何よりですね！

国民改造と生活・社会の改造

金　「改造」という言葉は、ニュアンス的にそれほど喜ばしい単語ではないのですけれど。「改造」は、やはり国民性の弱点を修正する方法ですから。

中国の文豪、魯迅（ろじん）の「国民性改造論思想」は社会の大きな呼応を集めました。日本も「改造」という言葉が乱舞するほど、「改造」の思考が普遍化してきました。姜理事長もご存じかと思いますが、1972年に田中角栄首相の『日本列島改造論』（日刊工業新聞社）が大ベストセラーになったことは半端ではありませんでした。

これらと比べれば、李光洙の『民族改造論』がみじめな運命に遭遇したことは、わが民族自身の悲劇ですね。

姜　ですから、「改造」という言葉が、われわれの意識の中に「韓国」「わが国」という言葉のように定着することができれば、ようやく「改造」がスムーズに実行できるのではないでしょうか？　というのは、どれだけ韓国人が「改造」――自分自身の「改造」について忌避（きひ）したか、怠慢であったかが分かりますよね。
　私は読書が好きだから、よく分かるのですが、書店に寄ってみたら、「日本改造論」「日本改革論」が山のように多いです。しかし、韓国では「改造」という言葉さえ嫌いです。これから韓国も「改造」を叫び、「改造」のないわれわれの民族体質を「改造」しなければなりません（笑）！

金　おっしゃる通りです（笑）。すると、この対談の中で取り扱う「改造」についても、どんなものがあるか、まず論じる必要があるのではないでしょうか？

姜　当然です！　私は二つの面に分類するのがいいと思います。うどん麺か？　そば麺か（笑）？　まぁ、冗談だけど。

一つは国民性、民族性的な側面、もう一つは実生活の側面についての改造、この二つの面で……。

金　(笑)。うどん麺でもいいですけど。

ですから、ソフトの面と、ハードの面で議論ということですね。

姜　事実上、いままでの対談の中でも、「改造」とは特別に言及してなかったけれども、文化的な面、国民性、民族性的話題について談論してきましたね。ですから、ここでは主に、社会システム、制度などについて論ずる方がいいと思います。

金　了解いたしました。

改造のための個人の努力

姜　日本も中国もそうですが、韓国は正体の知れない、不安感社会のトラブルのような、さまざまな不安が多いと思います。警察と軍隊が街角のいたる所にいるし、デモが多いし、左右派の対立が激しい国は、やはり韓国ですよね。
この国は確かにどこか間違っている。正体不明の不安、どこか間違っている韓国人の幸福を阻害する要素が、改造の相手になるでしょう。
改造のためには、まず誰が何をすべきかという問題が現れる。ですから、社会、民族、国家を「改造」するとすれば、われわれ個人すべての「改造」が不可欠です。国や民族を改造するには個人の力は微弱だといえるかもしれませんが、私はやはり、個人の「改造」を通してこそ可能ではないかと確信しています。

金 そうですね。社会の改造は、社会のメンバーの個々の手による完成もないといけません。だから、韓国を改造するには国民個々人の貢献、アクションが必要です。

姜 そして、この改造は韓国自身のみではなく、国際的貢献にもつながるのです。韓国が国際社会に適応できるように改造、変化すれば、それは韓国からの国際社会への貢献にもなるでしょう。

市民のパワー

金　ここで個人とは、なかんずく市民です。市民、臣民、国民をよく混同してしまいますが、市民とは国籍の束縛を超えたものです。たとえ国民が他国に暮らしたとしても、市民は市民です。反対に臣民とは、政府と国王に従服する一種の屈従的庶民にすぎません。

ですから、市民だけが政治の主体になり、政治を変え、国の形を変えることができます。これが国境を越えれば、「国際市民」になるのです。「国際市民」という言葉はあっても、「国際国民」という言葉がないのは、このためです。

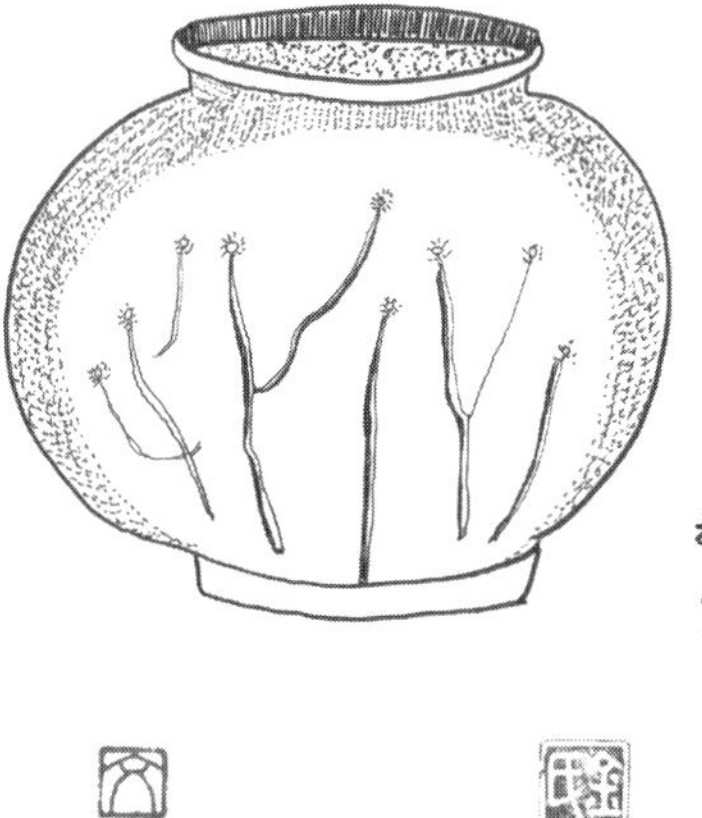

姜　なるほど。ところが、韓国では近代的市民の革命が欠如していたから、「市民」意識が欠けています。「国民」「臣民」意識のみが強いと指摘する知識人もいます。

金　しかし、近頃は民主化によって「市民」が形成されつつあるから、韓国でも可能性はあるといえます。努力さえすれば、悲観する必要はないでしょう。

姜　韓国の市民連帯、政府への批判をする市民団体が多いということは、やはり「市民」意識がますます強くなった証しでしょう。

金　そうですね。デモの多い国と言われるのですが、これこそ市民意識の膨張を説明しているのです。日本も60年代～70年代のデモを経て、市民運動が高揚し、今の穏健な市民意識が形成されたのではないでしょうか。

日本経済沈滞の教訓

姜　日本は戦後において、「世界の奇跡」と呼ばれるほど輝かしい経済成長を成し遂げました。しかし、現在は20年間も経済が沈滞し、社会も停止したような状態です。ここから韓国は、教訓を吸い取るべきではないかと思います。

金　日本の沈滞はなぜでしょうか？　在日経済界の大物である姜理事長の卓見を聞かせてください。

姜　「経済のグローバル化」の影響と「国際競争の低下」から理由を探す専門家がいます。

まず、グローバル化の衝撃を見てみましょう。日本経済の沈滞は、中国の衝撃を受けたものです。なぜなら、いままで日本の長所であったハイレベルな技術製品の部品は、中国の廉価な人件費に依存するしかなかったからです。ですから、日本の中小企業が多く倒産し、失業人口

が増えました。

日本国内の生産工場を人件費の安い中国に移転しましたし、現在はベトナムとかへの移転も多いので、日本国内の企業の空洞化を招き、経済に深刻なダメージを与えました。この状況は現在も進行中ではないかと思います。

次は、「国際競争力低下」の問題です。日本は発明よりも、輸入や技術改革を通して製品を大規模に生産してきました。基礎研究面では、日本は欧米の先進国よりは遅れていますが、それは技術のみを重視して、学術研究を軽視したからです。それに、官僚主義的な企業の特徴で、模倣技術のみに依存してきました。

韓国も日本の類型を学んだから、似たような弱点をもっています。日本は政府主導型経済ですから、人力、物力を短期間に投資、育成するには有利ですが、長期的観点からは多くの弊害を露呈しました。この政府主導型は、長所であると同時に弱点でもあります。

だから日本は、独創力と個人の能力を最大限に活用することが先決課題ではないかと思います。

日韓「集団主義」の違い

金　さすが企業家のお話、大変勉強になりました。ありがとうございます。

経済的原因は、経済自体もあるけれど、文化的次元から由来するのではないかともいえますね。政府主導型の経済発展は、個人の能力や独創力よりも、互いに協力する集団主義を強調する文化から由来すると思います。

韓国人は日本人より個人主義が強いと言われます。しかし、韓国人は日本人に比べ、「ウリ」という共同体意識を優先します。日本が「神道的われわれ主義」であれば、韓国は、「儒教的ウリ主義」です。「個人」の概念から見ると、韓国の方がむしろ市民意識が弱い国家主義、ナショナリズムに支配されているといえます。

学校も企業も、社会全体が軍隊＋儒教色が濃厚だと思います。上から命令を聞くことに慣れた国民性があるのですが、これから破るべきでしょう。

姜　日本型経済モデルが模範であるという過去の意識からは脱皮しましたが、かといって、日本型経済モデルからも学べることがないということではありません。

金　日韓の「過去の歴史に執着する」ことも現実的意味がないし、韓国自身にとってもあまり有益ではないと思います。心理学者のトマス・サースがこんなことを言っています。

「バカは容赦も忘却もしない。純真な人は容赦してから忘却する。賢者は容赦しながら忘却する」と。

日本よりすぐれた韓国の長所は何か？

姜　またもや日本と比較するのですが、民族性の違いかとは思いますが、人間味、つまり人情の薄いのが日本人の弱点ではないかと思います。

西洋の合理主義や契約主義を多く受容したからか、人間社会で人情味が薄いのが問題ですね。これは花園に花が咲いていないのと同じです。合理主義的志向で、正確性、緻密性を追求するのはいいですが、こんな小心性も限界だと思います。

金　（笑）。20世紀の大量生産の時代には1㎜の誤差も認めない精密性も重要ですが、いまは情報を迅速に入手して、大胆に推進するベンチャーの方が強いと思います。

日本人のように精確性、合理性、マニュアルにこだわりすぎたら、チャンスを逃す危険性が大きいです。反面、韓国人は快刀乱麻式で、精密性やマニュアルにこだわらずに、とにかく突進するのが一つの長所です。海外へ進出する冒険精神は、精密性とマニュアルにこだわることより強いと思います。

姜　なるほど。中国や海外に進出して事業をやる人口比率も、日本より韓国の方が多いでしょう。そして、成功した確率も韓国人の方

が高いようです。なぜなら、「やればできる」「ゲンチャナー」（大丈夫）精神のやり方で突進するから（笑）。日本のように「事前リサーチ、リサーチ」では、遅れをとらざるをえないから。

金 （笑）。同感です。情緒的にも国民性的にも日本人よりは、韓国人の方が中国の大陸性格にもっと合います。日本は文化的に島国ですから、異質です。大陸では韓国人の方が成功するチャンスが多いのではないかと思います。

姜 世界中、韓国人が住まないところはないでしょう（笑）。

とにかく他郷で根を下ろして、よく暮らしますね。海外への適応性も、やはり日本人よりは韓国人の方が高いのではないでしょうか？

金 日本人の「帰巣本能」が韓国人よりも強いのは、日本が住みやすい国だからでもありますが、「海外不適応」の面では、確かに、韓国人の冒険精神と現地適応性は強いですね。

姜 21世紀は、このような冒険精神で勝負をかけるべきですね。

金 国家的にも海外移住計画を立てれば、韓国国内の人口過剰問題も解決できるし、グローバル化にも貢献できると思いますが。

姜　これもいい「韓国改造案」の一つですよね。

韓国の政治、ここがだめだ

金　国家や民族の社会が変わるためには、政治システムの変革がなければなりません。日本は政客（政治家）が頑張っているし、中国も社会主義の理念に資本主義の経済原理を組み合わせて、一応ＧＤＰ大国としては改革の成功をおさめたといえるでしょう。

韓国は、文在寅（ムンジェイン）さんの政権下で外交面ではそれほど芳しくはないですが、どうですかね？　理事長のご高見を聞かせてください。

姜　私が政治家であったら、政治を語りやすいですけれども、政治にあまり詳しくないので（笑）。

まぁ、韓国政治の様式は、朝鮮時代の末期以来、基本的に中央集権型システムです。この本質は、実際いまも変わってないと思います。青瓦台（チョンワデ）にすべての権力が集中しています。つまり、大統領一人に政権が集中したと言っても過言ではない。特に韓国は儒教的社会ですので、日本とは違って、大統領や中央官吏の栄達はその家族、家門や親友の栄達にも直結します。
一般的に、韓国では大統領の任期が終わると、刑務所へ直行したりするのは、権力集中による近親の不正不敗が大きな原因の一つでもあります。

金 なるほど。この点では、社会主義システムである中国の全体主義と似ている部分もありますね。

姜 そうです。歴史的にこのシステムは、朝鮮戦争の廃墟状況、赤貧状態から這い上がった国民を一丸に団結させて、「漢江（ハンガン）の奇跡」と呼ばれた経済発展を成し遂げました。朴正煕（パクチョンヒ）大統領時代の中央集権制、独裁型開発がその典型ですね。

金 すると、姜理事長は韓国政治の本質的限界（弱点）は何だろうとお考えでしょうか？

姜 私は二つあると思います。一つは「われわれが上手くやってあげるから、われわれに従え」ということです。つまり、政府が主導する独断政治です。日本も基本的にこの独断政治から脱皮してないです。しかし、これで短期間に経済成長を達成しました。

もう一つは、この独断的システムは、国民の多様な要求、希望を最低限に圧縮し、資源を集中させて経済成長を達成しましたが、と同時に、不正腐敗を量産し、不安定さを招いて、システム自体がろくに機能を果たせていないことです。

韓国では百余年前の開港時期から「富国強兵」、解放後の「ザルサラボセー」（幸せになろう）、「第二の建国」のように、国家戦略を一言のスローガンに圧縮して、システム全体がその目標のために作動する構造をつくりあげました。

金　ですから、結局、後進国的政治システムということですね？

姜　その通りです。

社会が成熟し、民主化が今のように発展した韓国では、このような中央集権システムはかえって牽制を受けざるをえないです。韓国型中央集権型システム、または大統領一極集権の限界は、中央から行政的にこまかく細部まで規定してしまうので、これが「既得権益化」を誘発します。
かたや「政治の権利化」をも招いて、必ず腐敗、不正が発生します。この不正腐敗は、韓国の政治システムが生んだ障害物であり、国民の信頼を失わせる元凶でもあります。

金 なるほど。現在一つ指摘しなければならないことは、韓国の自由民主主義が文政権で崩れていくことです。特に「知的欺瞞」の歴史認識を利用して、北朝鮮と韓国の親睦左派によって、韓国が本当の民主主義に背を向けていくのは深刻な状態です。

「生活者主導型国家」へ

姜 韓国の知人たちと話をしてみると、現在の韓国政治や社会改革は難しいのではないかと、悲観的な考え方をもっている人が多いです。しかし、私は楽観しています。人間がやることだから、悲観して何もやらないよりも、何かアクションを起こすべきでしょう。

金　姜理事長の楽観的気質は羨ましいです。特に、この間出された著書、『波乱万笑』で一番印象深いのは、最後の一言です。

「現在、私は新しい妻をむかえ、仕事半分趣味、遊び半分で充実した日々を送っています。両親にもらった丈夫な体と、昨年CT検査で証明された40歳代の脳をフルに活用し、まだまだ人生を楽しむつもりでいます。皆さん、私と一緒に新しいこと、楽しいことをやって生きましょう」

姜　（笑）。よく覚えていますね。ありがとう。

中国の古典に「窮すれば通じ

る」という言葉があります。現在、経済の沈滞と政治システムの停滞から抜け出そうとする、改革・改造の動きが勢いよく起こっています。私は、韓国の政治・社会システムの弱点を克服するためにも一つ提言したいです。

それは、「国家主導型国」から「生活者主導型主権国家」に変容することです。すなわち、中央集権制独裁型政治を地域国家、あるいは地方に分散して、新しい概念の政治・社会構造に変えることです。

金 なるほど。評論家の大前研一は、「生活者革命」（＊1）を提唱しながら、日本を地方分権の国に変えようと主張しました。私も、理事長の意見が賢明だと考えます。

それは、国家システムの変容ばかりでなく、一種の国民生活者の生き方の革命でもありますね。

新しい韓国のイメージを

＊1 大前研一『生活者革命――国家主義の終焉』NHK出版、1991年

姜　「韓国」「韓国人」「韓国文化」というと、どんなイメージが浮かび上がるのだろうか？　近頃、私はこれについて考えています。日本から、あるいは海外から韓国を眺めるとき、そのイメージが貧弱だという意見をよく聞きます。

まぁ、「キムチ」「太極旗」や「唯一の分断国家」「デモの激しい国」「反日の国」などです。これではだめですね（笑）！　グローバル時代に、韓国のイメージを自ら新しいものへと更新しないと……。

金　いい提言です！　ワールドカップ直前に現代経済研究院で、114の外国企業人を相手に「韓国」のイメージについてアンケート調査をしたことがあります。その結果、「分断国家」が45%、「1988年のオリンピック」が18%、「ワールドカップ」が10%、「戦争」9%、「高度成長」8%、「腐敗」5%、こんな順番でした。

やはり、韓国人が語るほど、世界は韓国に対して肯定的なイメージをもっているのではないです。

姜　そうですね。

一言で言えば、「井の中の蛙」です。日本、アメリカ、中国といえば浮かぶイメージは多様で強烈ですが、韓国はこのようなイメージをもたれていません。

特にワールドカップ以後、韓国を象徴するキャッチコピーが多数発表されました。例えば「正正堂堂コリア」「Dynamic Korea」などなど。でもやはりピンとこないですね（笑）。

金　同感です！　梨花(イファ)女子大学の崔俊植(チェジュンシク)教授が『大韓民国を売れ！』という本の中で、韓国をイメージするキャッチコピーを数十個も考案しました。しかし、なかなかこれといったのが欠けています。

姜　ですから、まずは「イメージ創出」作業をやるのが大切で、何といっても、実際そのイメージに合う行動が最も重要だと思います。

多様性が必要である

金　はい。これと関連して、これまでに固定化している「韓国人」「韓国的なもの」について、広く再考すべきだと思います。韓国人の民族性、国民性を問題にする際、その対象である韓国人とは何者かというのも明らかにしなければならないです。

姜　政府で法的に定めた国籍や定義を超えて、広い視野で再考すべきだということでしょうか？

金　そうです。人類学的、社会学的角度から、「韓国人とは何者か」という問題を世界的視野で考えるべきです。少なくとも韓国人という範疇に関する問題、もう一つはその排他的原理問題を深く反省すべきです。

　韓国人という定義の基準を、国籍、民族的血統、言語能力、出生地、居住地など、五つを基準として幅広く見る。韓国に居住する華僑、外国人も血統こそ韓国人ではないけれど、文化的にはやはり「韓国人」と見直すことも可能でしょう。

姜　賛成です。

「韓国的なもの」も同様ですね。韓国文化とは単数ではなく、複数だということを忘れてはいけません。多文化主義の視点から見れば、もっとそうです。さまざまな外来文化との統合のなかで発生・発展するのが文化の特性ですから、「純度」100パーセントの自国文化というのはありえません。

外国人労働者が、韓国の3D労働（*2）を通して、経済発展の基盤になったのは厳然たる事実です。彼らは韓国の建築文化・食文化についても、純粋な韓国人よりもよく知っています。

ですから、私見としては、「韓国的なもの」を守ると同時に、これを排他的ではない世界的視野で発展させることが最も重要だと考えます。

*2　3D労働
Dirty（汚い）、Dangerous（危険な）、Demeaning（卑しい）を略したもの。一般的に、若者が敬遠しがちな労働環境や作業内容の労働をさす。日本でいう3K（きつい、汚い、危険な）労働にあたる。

狭い「半島」から「広い」韓国人に

金　近年「世界の中の韓国」「先進国韓国」という台詞をよく聞きますね。韓国人が国際社会に適応するため、いかに行動すべきかを考えるのはいいことです。私は、韓国の国民性の中に、依然として偏狭的なものが存在すると思います。

姜　日本と比較してみても、韓国はグローバル化意識が弱いです。日本もそうだけれども韓国よりはましです。一つの事物に接するとき、利害関係、自分自身の利害関係しか考えない国民性が格別に強いと思います。

例えば、北朝鮮や自民族に関する国際情報については関心がありますが、中国の少数民族差別、在日同胞や国内の人権問題については無関心ですね。

金　韓国人には「オープンマインド」が欠如しているということですね。

例えば、サッカーの観戦の応援も、韓国チームだけに集中し熱狂しますが、世界を意味するワールドカップでも、外国チームの試合にはさほど関心がありません（笑）。

姜　要するに、韓国人は韓国以外には興味がないということです（笑）。

韓国内に多くの外国人労働者問題が存在するにもかかわらず、さほど関心を示していません。「わたし自身も生きるのに精一杯なんだから、外国人まで……」という思考様式。

金　世界十大先進国の中に入ったのに、意識はやはり田舎の「ウリ」意識です。

姜　こんな偏狭な国民性は、さっさと切り捨てない限り、新しい世界的意識を接木（つぎき）することは無理ではないでしょうか？　「狭い半島」から「広い韓国人」に変容しなければならないですね。

「多民族国家・韓国」へ

金　そこで私は、『韓国民に告ぐ！』を書いて、狭い韓国人をやめろと訴えました。韓国人の狭いナショナリズムを改造すべきだと。

姜　興味深い本でしたね！

多様性、そして多民族を前提として、韓国という国を改造する必要があります。ですから、個人のみならず韓国政府、市民団体が真摯に議論し合って、政策的に解決すべきでしょう。

金　韓国では、ひとまず「韓国人VS外国人」という図式の思考が根強いです。単一民族、単一文化という認識を克服して、多様性、多民族、多文化を前提とした社会を再構築する政策は必要ですね。

姜　そうですね。まず統合政策として、「韓国人VS外国人」という固定観念を破ることからはじめないといけないです。

「外国人」の否定的な面ばかり強調するの

ではなく、「外国人」を受容する意識をもつべきでしょう。そして、外国人をポジティブにみて、韓国社会の一員として受け入れる社会に変貌すべきです。それから、平等、多民族、多文化の共存の理念を打ち立てるべきです。

多民族、外国人の文化を尊重し、対等な共存関係下で韓国社会の多様性を構成することです。異質なマイノリティ文化を受容することは、韓国社会の多様性に寄与すると思います。

マイノリティに対する差別や排除する政策、意識こそ、韓国社会の多様性と国際化の障害物になるのではないでしょうか。

第八章

在日同胞に告ぐ！

── 在日同胞へのメッセージ

分断された「在日」

姜　金さん、これから話題を「在日」に移しましょうか？　金さんはすでに十数年前から日本国籍を取得されているし、新しい「在日」になって久しいですね。

「東アジアの鬼才」と呼ばれる比較文化の碩学（せきがく）として、在日同胞へのメッセージを聞かせてください。

金　在日の大先輩で、しかも在日の現在のリーダーである理事長の前で、若造が「在日」云々するのは図々しいかもしれませんが、あえて自分が日頃から感じていることを述べさせていただきたいですね。

姜　私も日本に帰化しているのですが、やはり戸籍上の氏名とは別に、本名「姜仁秀（カンインス）」で社会的活動をしています。

　しかし、国籍は日本ですし、「日本人」でもありながら、自分が韓民族だということは一刻たりとも忘れたことはありません。

　「在日」とは二つの文化、二つのアイデンティティをもって、日本で生まれ育った存在です。特に、二世、三世がそうだと思います。

金　中国の朝鮮族は、国籍は生

まれながら「中国」になっています。

しかし民族的には朝鮮、韓国の血統で、「民族」への自負心は強いといえます。「在中韓国人・朝鮮人」とも言うべきだと思いますが、在日同胞と決定的に違うことは、イデオロギーに翻弄されていないことです。南か北か、つまり、韓国の自由主義イデオロギーか北朝鮮の共産主義イデオロギーかの分裂や対立はありません。

姜　なるほど。この面では、在日同胞はやはり「冷戦」で止まっていますね（笑）！

金　最初に留学生として京都に来日したとき、在日の同胞に呼ばれて花見をしたことがあります。ところが、民団と総連（＊1）の同胞が、南と北どちらが正しいかというイデオロギーをめぐって、激しく喧嘩になりました。

美しい花を見て、楽しい酒宴になるはずだったのですが、イデオロギーの対立はせっかくの花見を台無しにしてしまいました（笑）。

姜　イデオロギーで民族が対立することは、在日同胞の悲劇ですね！

＊1　総連
在日本朝鮮人総聯合会（朝鮮総連）の略。1955年に、北朝鮮（朝鮮民主主義人民共和国）を支持する在日朝鮮人の全国組織として結成。朝鮮民主主義人民共和国を朝鮮人民の真正な政権として支持しながら、日本国内での内政不干渉を掲げて革命的活動を避け、民族的権益を守り、祖国統一や「朝・日」両国の友好親善などを目標にする。

金　だから、私は21世紀の在日同胞は、いわゆるイデオロギーを超えるべきだと思います。「脱イデオロギー」が、在日同胞の大きな課題の一つではないでしょうか？

「民族」を超える

姜　すばらしいメッセージですね。在日の「脱イデオロギー化」は、つまり、引き裂かれた「南」「北」の在日を団結させる処方箋です。あるいは、「在日」のいままでの

どこか物足りない（？）姿を一新させる薬ではないかと思います。

　この前、一緒に飲んだとき、金さんは「在日は『民族』を超えなければならない」と言っていました。これについてもう少しお話しくださいませんか？

金　酒場でしゃべったことを、まだ覚えてらっしゃいますね（笑）。

姜　金さんの「金言」は、大切だから覚えていますよ（笑）。

金　ありがとうございます。

「民族」を超えるという意味をもう少し平明な言葉で解釈すると、「民族」というイデオロギーから脱皮して、普通の人間として生きることを意味します。

姜　「民族」はあまり強調されると、一種のイデオロギー的壁になる危険性がありますからね。

金　その通りです。さきほども触れましたが、在日の「民族」は、つまり「南・北」対立の民族イデオロギーに集結されます。

これは、私に言わせれば、一種の21世紀の「冷戦状態」です。

姜　面白い指摘です。「民団」と「総連」の組織化された在日は、依然として、同一民族であるよりはイデオロギーで対立する「冷戦状態」ということですね。

中国の延辺朝鮮族自治州の朝鮮族には、確かに「在日」のようなイデオロギーの対立などは絶対ないです。「中国朝鮮族」として一致団結する姿が羨ましいです。

在日は、私から言わせれば、硬直、偏狭、固執の塊です！　特に民団、広島の民団はそれがすさまじいです。

金　はい。民団のメンバーから、彼らの無知、偏狭の現状を直接耳にしたことがあります。

姜　民団の役員というのは、水溜りの中の水のようにずっと溜まって、流れないし、腐敗して、臭い水溜りになってしまいました。読書もしないし、新しい知見と国際的視野も欠けていて、「無知蒙昧（むちもうまい）」の状態です。しかも、新しい後継者養成にも怠慢だし、外部から来ている人材には嫉妬し、排他的です。

金　なるほど（笑）。理事長は広島の民団と総連の人たちを一緒に呼んで、文化シンポジウム、講演会や食事会を開いています。

広島では、はじめて「民族のイデオロギー」を超えた行動ですね！　民団にはこのようなリーダーはいないです。

姜　その通りです！

私は「民族」の「南・北」のイデオロギーを超えたところに、真の民族の意味があると考えます。20世紀は冷戦で世界が対立し、敵対し合いましたが、21世紀は「冷戦思考」やイデオロギーを超えたところで進化があると思います。

「在日」は、日本という民主主義、自由主義を享受することができませんでした。どういうことかというと、せっかくのこの自由な環境の中で、自ら「南北」のイデオロギーに固執しながら、緊張し、対立し、あるいは排除し合っていたからです。このような「在日」は、本当に精神的に幼稚な「みすぼらしいあひる」ではないでしょうか。

なぜ「在日」は「独立」を失ったのか？

金　同感です。そしてもう一つ、私に言わせれば、「在日」は自ら「独立」を喪失したということです。これは大切なことです。

姜　え？　「独立を失った」というのは、初耳ですね。どういうことですか？

金　あくまでも私個人の私見ですが（笑）、例えば、民団組織は日本に暮

らす同胞組織でありながら、基本的に韓国本国から運営経費をもらい、本国への依存度が極めて高いですね。これではまるで、本国の何かの「支部」のような存在としか見えません。

一種のパラサイト的形態から自由ではないです。

姜 なるほど。本国への依存が高いから、自力、独立してないのは当然です。個人であれ、団体であれ、自分なりの自力、独立した人格や精神がなかったら、それはパラサイト（寄生虫）や人形としか言えません。

民団のような組織の人たち、特に幹部たちは、固陋（ころう）、偏狭な思考にはまって、一歩も前へ進もうとはしないから、なおさら悲劇的ですね！

金 ですから、早めに「本国離れ」することが急務ではないかと思いますね。

本国とのつながりはいいけど、そこに隷属していては「独立自尊」が生まれるわけがありません。

姜 私が、広島の民団から独立して「西広島日韓親善協会」やいろいろな組織をつくったのも、広島の民団の固陋な現状を打開する素朴なねらいもあります。やはり、個人も組織も、独立した人格と自由精神がなければ「死」を意味しますから。

それから、もし本当に組織のためになるなら、同胞経済人たちが一丸となって、経費を出して助ける協力精神が不可欠です。この意味で、私は広島でつくった組織、団体は、ほとんど自腹で支援しています。

金　それはすばらしい美徳だと思います。

いま理事長が企業でも大成功し、「在日」の経済界だけでなく、広島の精神的リーダーとして尊敬されるのも、一般の民団の幹部とは違う人格的魅力があるからです。

「国籍」を超える意味

姜　ありがとうございます。

金さんも私も、すでに日本に帰化していますが、「在日」の帰化についてどう思いますか？

金　私は「国籍」は、「在日」が超えるべき「壁」だと思います。これは物理的な「壁」でもあり、また特に心理的、精神的な「壁」でもあります。

　なぜなら、いまだに日本国籍に帰化するかしないか悩む同胞が多いようで、韓国籍を放棄すると、あたかも祖国に背いた者になるかのような思いが強いからです。

姜　私も日本生まれですけど、金さんがおっしゃる通り、日本国籍に帰化するのには、最初相当ためらいがありました。「祖

国に背く」と言われるのではないかと（笑）。

しかし、やはり日本に生まれ育って、日本文化にすっかりなじんで一種の「在日日本人」になっていましたから、むしろ物理的にも、心情的にも慣れていない「韓国」よりは、「日本」を選んだ方がいいと判断して決意しました。

金　なるほど。在日二世はいいけど、三世からはむしろ、韓国よりは日本、日本文化に慣れていて親近感をもっています。

文化人類学あるいは、民族学的に、ある民族が他国に移住して、四世、五世になると、新しい民族として変容していくと言われます。私から見ると、現在、在日はすでに、三世、四世、五世まできているから、本国の韓国人とは「別種」の新しいタイプの「韓民族」に変容していると思います。

彷徨（さまよ）う自己帰属感

姜　私も新しいタイプの「韓民族」になってしまったということは間違い

ないと思います。
例えば、私は二世ですが、韓国に行ってみても、まぁ、民族的「情」「情緒」というのは感じます。飲んで騒ぐとか、よく歌を歌うとか、情の厚いことは同じだと感じます。しかし、本国の韓国人とは文化的に違う、どこか違う異質感が感じられて、私はやはり「バンチョッパリ」（韓国人は日本人を軽蔑して言うとき、「チョッパリ」という。在日は半分日本人になったので「半チョッパリ」と言われる場合がある）になっているなぁ！と、自覚せざるをえなかったものです（笑）。

金　それが三世、四世になると、もっと「バンチョッパリ」と自覚するのですよね（笑）！　三世女流作家の姜信子さんは、自ら韓国の体験をこう語りました。

文化的な母国というのは、私の場合、たぶん、日本になると思います。血の面でいうと韓国人としか言いようがないし、国家という近代の枠組みの中で考えても、韓国籍をもっている以上、韓国人であるとしか言いようがないんですけど。私は27になるまで日本から一歩も出ませんでした。その日本の地で、民族意識を、肌で感じることの出来ない民族意識というものを身につけなければ韓国人になれない、立派な在日になれないという在日社会のメーンストリームの声にも納得できず、私は韓国人になれないんじゃないかと思ってました。韓国に行けば、韓国人になるだろうかと思ったら、ならなかった。二年間住んで、日常会話には不自由しないんですけど、韓国人にはならなくて、やはり在韓・在日韓国人という微妙な存在でしかなかったんです。（＊2）

直木賞受賞作家で在日三世の金城一紀（かねしろかずき）さんも、似たような体験談を語っ

＊2
特集・「在日」ルネサンス、『論座』1996年9月号、朝日新聞社出版局

ていました。

姜　それは面白い話ですね。

やはり、在日一世、二世はともかく、三世からは、先ほど金さんがおっしゃったように、日本生まれ日本育ちですから、日本文化になじんでいるだけに、文化的に「日本人」に帰属感を求めるのは当然といえば当然でしょう。

金　私から見ると在日韓国人は、帰属感で彷徨う「人種」だと思います。つまり、韓国国籍をもっているにもかかわらず、韓国への帰属感が薄いです。また、片や韓国籍の非日本人でありながら、日本文化への帰属感が、日本のいかなる外国人よりも強いです。二重に彷徨う様相が在日韓国人ではないでしょうか？

「チャクサラン」の苦しみ

姜　「二重に彷徨う」人種とは、まさにその通りですね。

中国の朝鮮族は、国籍が中国ですし、彼らと接してみても、ほとんど

「中国人」だという帰属意識が強いですし、普遍的です。韓国で労働者として出稼ぎで働く人が多数いますが、韓国に来てもやはり、自分自身がなおさら「中国人」であることを確認したといいます。

韓国本国で、自分のアイデンティティを逆に確認したことになりますね。

金　そうです。朝鮮族は、「中国人」として生きる帰属意識がはっきりしています。

しかし、在日韓国人は祖国韓国へのある種の「チャクサラン」があります。日本語で言うと「片思い」です。本国に対する「サラン」（愛情）や「忠誠心」は、日本に暮らしてもずっと変わらない、変わろうとしない執着心的なもの……。

姜　はい。特に民団幹部のように、韓国への密接した繋がり、連帯感をいだくことは、在日の一つの特性です。その愛が、さきほど金さんの言ったとおり、一種の「片想い」ですね。「片思い」は肩重くなりますね（笑）！

しかも、本国の韓国人からすると、民団幹部の「忠誠心」は一種の偏った「片思い」にしか見えないですね。本当に皮肉にも、この片思いは在日の苦しみそのものでしょう。

「自己欺瞞」はやめよう

金　なるほど。

私は、民団幹部や、一部の在日知識人のこの「片思い」が、一種の麻薬のように自分自身の真の状況と在日の意味に対する正常な思考を麻痺させ、思考停止にさせたと思います。きびしく言えば、一種の「自己欺瞞」ではないかとも思いますが……。

姜　一種の自己「幻想」かもしれませんね。

いくら「片思い」したって、本国では在日を本気で韓国人だと思わないのが現実です。韓国評論家の池東旭（チトンウク）さんは、『在日をやめなさい』の中でずばりこう言っています。

ある意味では在日は、本国人の嫉妬の対象でもある。在外国民ということで兵役義務は免除されている。日本ではそれなりに豊かな暮らしをしているくせに本国に何の貢献をするでもなく、権利と保護だけ本国に要求していると反感をもっている者すらいるのだ。（中略）

駐日韓国大使館は、在日に対する日本の差別待遇をことある度に抗議する。だが、かつてある駐日韓国外交官の中には、「日本人は在日だけ見て韓国人全体を推し量ろうとする。われわれは無学な在日と違う」と無責任な発言をする者もいた。

母国語を話せない在日を、〝バンチョッパリ〟と嘲る風潮もある。チョッパリとは蹄が割れてる畜生の足という意味で、同時に先が二つに割れている足袋を履く日本人に対する蔑称だ。在日は半分だということで半チョッパリと呼ぶのである。

「故郷は遠くにありて思うもの、そして悲しく思うもの」。母国に対する在日の憧れは、しょせん片想いの部分が大きいのである。(＊3)

金　全く賛成ですね。もはや、在日は日本人として生きることをためらうことはなく、実行すべきだと思います。日本国籍に自ら帰化しても、それは民族や祖国への反逆ではないです。

私だって、中国国籍だったし、日本国籍に帰化して十数年になっても、依然として民族的には韓民族であることを忘れたことはありません。

「在日」は、本当の在日を目指せ

姜　私は、日本に帰化していながら、民族的出自を表出しながら生き、活動しています。友人のパチンコ皇帝、韓昌祐(ハンチャンウ)さんも日本国籍をもっていますが、韓昌祐として韓民族の出身を隠さない。

台湾人や中国人にも、日本に帰化しても、その民族の出身を表出しなが

＊3
池東旭『在日をやめなさい 70万人の優秀なマイノリティに告ぐ!』ザ・マサダ、1997年

ら活動する人はいくらでもいます。しかし、誰も彼らを非難できないし、非難する人もいないです。

金　「在日」は括弧(かっこ)のついた「在日」から、本当に括弧を捨てた、日本にいる、日本で生きる民族へと変身しなければならないです。

それは在日にとって、個人的にも大変意味深いと思います。なぜなら、「在日」は納税をしたにもかかわらず、日本国民ではないため、参政権をもっていない。それを差別だと左派や在日知識人が騒ぐのですが、それはそもそもナンセンスです。

むしろ、すっかり日本人になって、日本の参政権を取得して、いろいろな意味で国民としての権利を享受しながら生きるのがふさわしいですね。

姜　そうですね。

大切なのは、差別云々以前に、

外国籍をもつ限り、政治的権利はもてないし、日本に対する国民としての義務感からも排除されやすいです。

朝鮮族が中国で中国籍をもって、政治的平等や権利を享受するように、「在日」も、自ら日本国籍を取得して、権利を獲得した方が有利だし、これこそ、これからの方向だと思います。

金　日本人として、国民の義務や権利を享受しながら、民族としての自負心をもって生きることは矛盾しないです。

姜　新しい「在日」は、本当の在日、日本に生きる道、日本人として生きる道というのは賢明です。しかもこれは「在日」を救う唯一の方法ではないでしょうか。

第九章

東アジア知性共和国

― 東アジア共同体への土台をこうつくる

東アジアの結束力はどこから来るのか？

姜　さて、対談の最後になりますが、東アジアの比較文化学者としての金さんは、東アジアの現在や未来に対するさまざまな貴重な研究と提言を行ってこられました。

この間、金さんの『島国根性・大陸根性・半島根性』（＊1）を拝読したのですが、とても面白い話が多数ありました。なかでも、東アジアの未来に関する話が大変よかったので、それについて（この本を読まれる皆さまのために）くわしく述べてくださいますか？

金　さすが、読書家の理事長の目はするどいですねぇ！

＊1
金文学『島国根性・大陸根性・半島根性』（青春新書インテリジェンス）、青春出版社、2007年

私は、その本の中でアジアを「アジア村」とたとえ、いままで歴史や過去の問題でギクシャクしていましたが、日韓も含めてこれを乗り越える方法、出方を提言しました。

まぁ、ヨーロッパの歴史を見ても、それは常に流血の戦争の歴史でした。異民族同士の戦いによって交流してきた体験は、アジア人以上にあります。しかし、彼らがラッキーだったのは、このような過去を乗り越えて、一つの共同体としてがっちり結束したことですね。

姜　その結束力はどこにあったのでしょうか?

金　その結束力は、歴史や文化の違いを超えたところにあるのだと思います。わがアジアは、このような結束力のあるアジア村を目指さなければならないです。

姜　同感です。

金　要するに、お互いの文化、習俗、行動様式の違いをまず認め合うことから、「アジア村」の結束力が生まれると思いますね。

東アジアの未来予想図

姜　そうですね。アジアの共同発展に最も有効なのは、「文化の違い」をお互いに理解し認め合うことですね。さて金さんは、この「アジア村」の「これから」、つまり未来は、どうなるとお考えでしょうか？

金　もちろん、それぞれもっている民族性、言語、思考様式、行動原理のさまざまな異質性によって、いろいろな「文化の衝突」が頻繁（ひんぱん）に起こるのはあたりまえでしょう。やがて、良い方向へ進めば、民族の壁を超えて、三か国人の若者同士の結婚も多くなり、新しい異民族家族が生まれる可能性も大きいです。

姜　すると、家庭内のトラブルは、ときには民族のトラブル、文化のトラブルにまでエスカレートしてしまう可能性もありますね。文化の違いを理

解し、克服した家庭はスムーズにやっていけると思うのですが、一方、文化の違いを超えなかったカップルは別れてしまうんでしょうか（笑）。

金　要するに、このような文化の違いによるギクシャクを楽しみながら、「アジア村」は発展していくでしょう。200年後、「アジア村」は大きな国として変貌し、その結束力はヨーロッパやアフリカよりも強い、すばらしい共同体になると展望したいです。

姜　それは、すばらしき「東アジアの未来予想図」です。アジア、ことに日中韓の東アジアは、これからいずれかの民族が地球からごっそり引っ越して、木星か金星などに移住でもしない限り、付き合っていくしかないでしょう。そのためにも、やっぱり異なった文化を理解し認め合うことが、今後発展していくための大前提です。

金　異なったままで、共存することが大切です。異なった思考や行動様式を相手に無理に合わせるような迎合は、かえって理解の壁をつくるんです。

「梅花文化圏」の提案

姜　異なったままで共存する。いいことだ！　「君子、和して同ぜず」という中国の古典、『論語』の孔子の話にも通じますね。

金さんは、文明批評家として、十数年来「梅花文化圏」という新しい概念を唱えてきました。

金　えぇ。東アジアがお互いに理解するためには、やはりヨーロッパのEU的な、ある種の統合理念が必要だと思います。「漢字文化圏」という決まり文句的な言い方がこれまで盛んだったのですが、私の研究では、この漢字文化圏は、すでに効用を失った漢方薬のようなものです。

姜　なるほど。

金　すくなくとも漢字理念で東アジアは統合されてもいないし、深い相互理解をもたらしてもいないのが現実です。しかも、韓国や北朝鮮は、漢字を使わないので、漢字文化圏から脱落してしまいました。

姜　それは、おっしゃる通りです。漢字を使わないから、もはや「漢字文化圏国家」とは言えないですね。

金　ええ。そこで私は、2004年の春、韓国の「知的巨人」といわれる李御寧（イオリョン）氏と、東アジア文化の現状や未来に関する対談を三日間やりました。

そして、氏の発想に基づいたものですが、一つの新理念を打ちあげました。それが「梅花文化圏」というものです。漢字の代わりに「梅花」で東アジアの文化コードを解読するのです。

姜　それは新鮮な理念ですね。

金　日中韓の東アジアは、西洋を知る以前から3000年の間、互いに分かち合ってきた文化をもっています。にもかかわらず、近代中華思想

や日本の大東亜共栄圏（＊2）のような一国中心支配的論理によって、東アジアの文化的価値は偏向し、歪曲（わいきょく）されたのも事実です。

ですから、東アジアが共有する地域文化の同質性と特異性を、再びあらためて問わなければならない重大な文明史的使命の前に、われわれは立たされているのです。

姜　一国中心的な覇権や理念を超越する必要があるということですね。

中立的新理念

金　その通りです。中立的な立場でアプローチする必要があるということです。そのために、梅（竹、松）のような歴史的に共有してきた具体的対象の象徴とイメージを比較して、その違いと共通点を明らかにする方法を思い出したのです。

梅は、原産地が中国で、大陸から朝鮮半島、日本列島へ伝播、土着しながら、東アジア文化を連結する多様で特徴的な「梅花文化圏」を形成して

＊2　大東亜共栄圏
第二次世界大戦中に日本が掲げた対アジア政策。「日本を中心としてアジアの共存共栄をはかる」ことを目的としたが、実際は、日本によるアジアの植民地支配を正当化しようとするものにすぎなかった。

きました。

姜　梅は、日中韓の東アジアでしか生息しない植物ですね。「松竹梅」の熟語のように吉祥のシンボルとして、また節操や高雅な精神の象徴として、常に東アジアの人々の心の中に共存してきました。

金　おっしゃる通りです。つまり「漢字文化圏」や「儒教文化圏」という理念で解読できなかったことが、ひょっとすると、「梅花文化圏」という最も具象的なコンテンツを通して解読できる可能性が高いです。

こうなると、これまで日中韓の東アジアは、政治経済の利害関係、損得計算で反目や敵対してきましたが、雪の中でも古木でも新芽がめばえ、美しい花を咲かせる梅から、共通した生き方や価値観を悟ることができるでしょう。

姜　イデオロギー、政治、経済、歴史、人種、言語を超えた文化の芳香がそこにあるのですね。「梅の花」に。

金　もしも、東アジアがEUのような共同体を結ぶとすれば、そのシンボルマークは絶対「梅花」にしたいですね（笑）。

「政治は雲　文化は青空」

姜　すばらしいですね。日の丸、太極旗、五星旗、そして「梅花旗」。その日が来るのを待っています。

　さすが、金さんは中国朝鮮族の最初の思想家、知的碩学（せきがく）として、すぐれた発想、思想をもっていますね。金さんが提案する「東アジア知性共和国」というのを、この前、はじめて聞きましたが、これについて教えてくださいませんか？

金　恐れ入ります（笑）。

　2010年あたりから、私は「東アジア知性共和国」という新しい概念を打ち出してきました。幸か不幸か、日中韓の東アジアは漢字を共有しているから、文化や国民性についてお互いになんとなく理解し合っていると

思い込んでいる部分が多いです。文化自体がただでさえも、相互理解のハードルが高いのに、厄介な政治が挿し込まれてきて、攪乱されているのが現状ではないでしょうか。

確かに社会的な発展様相とテンポでは、東アジア諸国は、時間差があります。日本はポストモダニズム国家、韓国はその次のモダニズム国家。中国大陸は一党独裁の近代国家にようやく入ろうとするところです。一方、台湾は韓国以上に日本に近いモダニズム国家。北朝鮮は前近代的封建国家に似ていると言わざるをえません。

姜　なるほど。社会的テンポも、性格もまちまち、デコボコですね（笑）。

金　言ってみれば、一種の「同時代非共時」的様相を呈しているし、政治的次元でも「東アジア共同体」や相互理解は「至難」と言わざるをえないのが現実。しかし、知識人は往々にして政治を利用して、あるいは政治に任せて、「東アジア共同体」を実現しようと考えていますが、これ自体が問題です。

姜　全く同感です。

政治任せではなく、「政治を超える発想」が必要不可欠ですね。

金 そうです。

私の持論は、「政治は雲、文化は青空」です。政治が常に雲のように流れ変化していっても、文化はいつもの姿です。「治」をもって「知」を隠す愚を、われわれは東アジアで行っているのではないでしょうか？

「東アジア知性共和国」

姜 「政治は雲で、文化は青空」。これは正鵠(せいこく)を得た名言ですねぇ。

政治上の各国の利益、打算や目的によって、文化の交流や理解が妨害されていますね。例えば、いまの日韓関係のように、政治上の過去の問題が、両国の間の正常な文化交流や民間人のスムーズな往来をダメにしています。暗い雲のように青い空を覆(おお)ってしまっているのが現状。

金 おっしゃる通りです。

そこで、私はずっと前から、政治の「雲」を超えて、政治の上から「青空」を見るような方法、その方法論を含めて、文化を理解、認識し、共通性を見い出すものを「東アジア知性共和国」と命名しました。

姜　お見事です。具体的にはどうやるのですか？

金　政治がすでに各国の文化交流、理解を邪魔する壁であるなら、この壁を超える、あるいは放置する。そして、東アジアの各分野の知識人、文化人、経済人、芸術人が集って、政治を超えた議論、交流を通して、東アジアの奥に潜む文化の理解のため、東アジアの文化の共通性、価値観を探っていく作業を行います。これは将来の「東アジア共同体」のため、土台づ

くりをすることがねらいです。

いままで十数年来、私は著作、講演活動を通して、この東アジア知性共和国の理念を広げてきました。中国、日本、韓国、台湾と香港などで、文持者が増えています。

姜　「共和国」とは実体ではないでしょう？

金　もちろん、実体ではなく、その理念、意識の共同体、思考の広場といったようなものです。

姜　政治の条件が整うまで、これを上手く実行して、文化的な知性共和国としての「東アジア共同体」結成のため、その一歩前で土台をつくる――すごい理念ですね。

金　それを目指して、私は皆さまの協力の下、今日も明日も頑張っていきます。

姜　了解いたしました。私も是非、応援したいと思います。

（完）

※この対談は、2019年6月～2020年5月に行われました。

こんにちは
你好
사랑
博愛
結束
和平
東亜文明
文學

あとがき

この対談を最後までお読みくださいまして、誠にありがとうございます。主張したいことは、すでに対談の本論の中で、言いたい放題に述べたのですが、蛇足ながら付言したいのは、敬愛する在日随一のリーダー、姜(カン)仁秀(インス)理事長とご一緒だったので対談は終始、痛快淋漓(りんり)だったことです。

比較文化学者、文明批評家としての私のスタンスは、民族、国家と政治イデオロギーを超えて、自由知識人という独立的人格として、自由な言説、真実を言うことにあります。これを拠り所として、自由自在に文化や民族、政治を超えた反省、批判を行うことは貴重ではないかと思います。

特に、コロナの跋扈(ばっこ)のように、「知的欺瞞」が韓民族同胞の近現代史、日韓の過去の歴史認識を目茶苦茶にしている現在の韓国では、本対談のような「自己分析・自己解剖・自己反省・自己批判」は、「自己解放」のために必要不可欠な方法ではないでしょうか？

今年、韓国は光復（こうふく）75周年を迎えました。75年間、同胞たちはこぞって、日本という「悪者」を責め続けてきました。75年——人間でいうと、立派な古稀（こき）の老人のはずです。

もう成熟した紳士的老人になってほしい！　もう他者ばかり責める未熟な5歳の幼児の思考から脱皮し、自己反省できる立派な民族として、世界から尊敬されるように変身してほしい！　これは私だけの素朴な念願ではないでしょう。そろそろ、「クジルクジル（しめっぽく小汚い）」な「クチャ（窮屈）」な、すべてを他者のせいにするみすぼらしい民族像から解放されるべきではないでしょうか？

韓国が咲き誇るためには、この決定的な「自己解放」がなければなりません。韓国が日本のような真の先進国・民主国家になることを心待ちにしています。そして、日本と対等に付き合えるような、立派な国格をもつ日を願ってやみません。サランハムニダ！　そして、カムサハムニダ！

庚子年　立秋

於広島文華堂　金文学

姜 仁秀（カン・インス）
1944 年山口県宇部市生まれ、在日韓国人２世。現在、医療法人社団 八千代会（病院、介護施設等 11 施設）の理事長を務める。在日世界韓人商工人連合会 顧問、広島県日韓親善協会 副会長を務める傍ら、NPO 法人広島国際交流センター 理事長、NPO 法人東アジア児童基金会 理事長、西広島日韓親善協会 会長として、多文化共生社会の実現に寄与している。
〈表彰〉「誇らしい韓民族賞」（国際韓民族財団より授与）、「国民勲章・牡丹賞」（韓国大統領より授与）、「韓国 慶南大学校 名誉経営学博士」授与。
〈趣味〉第１級アマチュア無線技士（7J4AAL）として、毎日世界と交信している。

金 文学（きん・ぶんがく）
比較文化学者、文明批評家、日中韓国際文化研究院長。1962 年、中国の瀋陽で韓国系中国人３世として生まれる。1985 年、東北師範大学外国語学部日本語科卒業。1991 年に来日し、同志社大学大学院、京都大学大学院を経て、2001 年、広島大学大学院博士課程修了。広島文化学園大学、福山大学、安田女子大学などで教鞭をとる。現在は日本に帰化し、日中韓３国で執筆・講演活動を行う。「東アジアの鬼才」と呼ばれる。
『韓国人が知らない安重根と伊藤博文の真実』『進化できない中国人』『中国人が明かす中国人の本性』（以上祥伝社）、『あの「中国の狂気」は、どこから来るのか』（ワック）、『広島人に告ぐ！』（南々社）など、著書多数。

〈本文イラスト〉　金 文学
〈カバー装幀〉　スタジオギブ
〈本文 DTP〉　角屋 克博　大原 剛
〈編集協力〉　石浜 圭太　竹島 規子　福重 可恵
〈編　　集〉　本永 鈴枝

韓国よ、咲き誇れ！ ──「反日病」につける薬

2020 年 11 月 10 日　初版第１刷発行

著　　者　姜 仁秀
　　　　　金 文学
発 行 者　西元 俊典
発 行 所　有限会社 南々社
　　〒 732-0048　広島市東区山根町 27-2
　　TEL 082-261-8243　FAX 082-261-8647
印刷製本所　モリモト印刷 株式会社

ISBN978-4-86489-122-6